Madame
le proviseur

Du même auteur

AUX MÊMES ÉDITIONS

Madame le proviseur
1988

La cause des élèves
1991

Marguerite Gentzbittel
avec Hervé Hamon

Madame le proviseur

Éditions du Seuil

EN COUVERTURE : photo Ulf Andersen/Gamma

ISBN 2-02-010897-6
(ISBN 2-02-010234-X, 1re publication)

Avant-propos

« C'est l'monsieur pour madame le proviseur... »

Ainsi m'annonçait, chaque mercredi (quand les élèves avaient déserté l'établissement), le pittoresque et rocailleux concierge du lycée Fénelon. Il me fallait ensuite pousser une porte massive, traverser en diagonale la cour vidée, superbe comme un décor de *Zéro de conduite* avec platanes et verrières, et gravir, croisant à l'occasion quelque dame intriguée, l'escalier solennel menant au bureau directorial. La solennité s'arrêtait là. Après, nous travaillions dur et nous amusions bien.

Marguerite Gentzbittel ne voulait pas écrire un essai pontifiant distribuant maximes, conseils et médailles. Tout agrégée de l'Université qu'elle est, elle refusait de prendre la plume pour délivrer un message impérieusement ficelé ou pour aligner souverainement les recettes de l'excellence. Elle souhaitait, en revanche, ouvrir son journal de bord, revisiter, pièces à l'appui, sa trajectoire professionnelle. Les considérations générales ne lui venaient qu'à partir des études de cas. Et un « cas », à ses yeux, n'est point un dossier mais un visage, une histoire.

Membre d'une corporation qui, trop souvent, affecte de mépriser les savoirs pratiques, elle entendait ne pas s'écarter du terrain, du concret. Produire un livre, soit. Mais il lui fallait un témoin, un truchement. Tel fut mon rôle au fil de ces séances où elle commentait ses « carnets de métier ».

Je n'avais pas prévu que ce serait drôle. La fréquentation, pour les besoins d'une enquête, de maints établissements scolaires, m'avait placé en face d'interlocuteurs enthousiastes ou dolents, passionnés ou pathétiques, rarement rieurs. Cette fois, j'ai rencontré une patronne, une vraie, qui goûte le pouvoir et ne s'en cache guère, une éducatrice qui reconnaît au jeune, au citoyen mineur, le droit d'exister, de n'être pas conforme au programme des adultes. Et j'ai rencontré, en prime, Raymond Devos, Zouc ou Swift.

Au moment de publier, nous avons décidé de conserver à ces pages leur spontanéité, leurs digressions, leur impertinence. Je ne sais, n'étant pas de la partie, si les options pédagogiques de Marguerite Gentzbittel sont techniquement les meilleures. Je sais seulement qu'elle n'a pas hésité à les exposer sans retenue, sans précautions diplomatiques, sans crainte aucune de la critique, de la hiérarchie, des éventuelles retombées sur sa carrière. Je ne sais si ce qu'elle dit est irréfutable. Mais je sais comment elle le dit : avec une sincérité brutale, et l'amour vigilant de son prochain.

Hervé Hamon.

N.B. Les titres et sous-titres sont imputables à l'éditeur. Merci, de tout cœur, à Nicole Grégoire, dont le secours logistique et l'encouragement ont permis à ce livre de prendre forme.

PREMIÈRE PARTIE

Carnets de métier

1. L'enfance d'une chef

Où madame le proviseur
sent grandir sa vocation

Je crois que je sais plutôt d'où je ne viens pas, s'agissant de mon itinéraire professionnel. Si je suis ici, à Fénelon, c'est surtout l'aboutissement de ce que je n'ai pas pu faire. Mes parents ont appris, quand j'étais à l'école maternelle, que — contrairement à ce qu'ils espéraient, et selon la directrice — je ne pourrais adopter une profession manuelle, parce que j'étais gauchère et qu'on hésitait entre me contrarier ou non. L'institutrice s'est donc résolue à avouer à ma mère que j'allais devoir suivre une destinée intellectuelle, ce qui a été, pendant quelques années, ressenti dans la famille comme une tuile. J'avais des parents extrêmement souples en matière d'éducation, et ils ont finalement accepté cette idée. Voilà la raison première pour laquelle je suis proviseur...

Ma mère était femme de ménage. Elle disait : « J'ai travaillé pour qu'elle ait moins de mal que moi et qu'elle travaille moins chez les autres. » Ce qu'elle imaginait pour moi, c'était une activité peu salissante qui aurait représenté à ses yeux une certaine promotion, la couture par exemple, la coiffure... Peut-être aurait-on même envisagé quelque chose d'un petit peu moins manuel, style secrétariat. Mon père était cheminot à Belfort, il était entendu que je pouvais entrer à la SNCF. J'avais deux voies tracées : les chemins de fer ou quelque emploi chez un des marchands de primeurs de la ville qui ont toujours été les patrons de ma mère.

J'étais ainsi vouée, par défaut, à devenir intellectuelle mais j'avais dans mon for intérieur un plan très précis de carrière : je voulais être chef. Je savais que je serais chef.

Je rêvais d'être chef des pompiers, car ce que j'ai vu de plus beau, à Belfort, c'est un incendie nocturne chez un marchand de tissu ; le chef des pompiers m'est apparu absolument extraordinaire, je lui ai trouvé un pouvoir, un rayonnement (sans jeu de mots) fabuleux. Puis j'ai compris que je ne pouvais pas être chef des pompiers, mon père me l'a expliqué avec précaution. J'ai songé à me reconvertir comme chef de gare ; mais chef de gare, ça n'allait pas non plus, en tout cas à l'époque. L'image de l'uniforme me hantait au point que j'en ai envisagé de toutes natures, jusqu'à l'uniforme de cardinal, d'archevêque... Et ça ne marchait pas non plus.

En quatrième, il ne m'est plus resté que le métier de chef d'établissement. J'avais déjà une expérience de chef de classe, de chef d'équipe au patronage ; mon paysage se dessinait. Il paraît que c'est très grave du point de vue psychiatrique, mais je suis bien obligée de l'assumer et de me reconnaître telle : ma « vocation » a surgi en quatrième lorsque se sont dissoutes mes figures antérieures du chef, du chef que je deviendrais fatalement.

Mon modèle fut la directrice du collège moderne de Belfort, dont l'activité principale consistait, me semblait-il, à commander les cars pour les voyages de fin d'année scolaire. On lui apportait des pièces de monnaie, elle les comptait et elle commandait le car pour l'excursion — c'était magique.

En outre, elle disposait d'un bureau, ce qui est considérable, et remplissait un rôle qui ne l'était pas moins : elle venait dans les classes remettre les bulletins. C'était une Bourguignonne, dotée d'un très joli accent, elle portait des lunettes ; il n'existait pas encore de doubles foyers, et elle regardait par-dessus les verres, commentant : « *C'est* bien, *c'est* bien ! » Quand Mme Savariat se déplaçait pour dire « *C'est* bien ! », la classe entière était ravie.

Et puis, lorsque les professeurs me mettaient à la porte de leur cours, elle prenait pitié de moi et me ramenait par crainte que je n'attrape froid dans le couloir. Tant d'emprise sur la vie humaine, c'était impressionnant, presque autant que de commander les cars.

A Belfort, il y avait un collège classique pour les gens bien (socialement), et un collège moderne pour les gens moins bien (socialement). Je suis — forcément — entrée au collège moderne. On disait de moi que j'avais un esprit scientifique, que j'étais douée en mathématiques. Cela s'est un brin modifié par la suite. J'y suis restée jusqu'en troisième avec comme intérêt majeur d'être chef de classe. La classe m'intéressait beaucoup, mais elle m'intéressait surtout comme milieu social, comme milieu de vie et comme aire de popularité.

En sixième, j'avais été élue seulement sous-chef de classe, pour cause de rivalités héritées de l'école primaire, et mon unique ambition était d'être chef de classe en cinquième. L'échéance venue, on m'a proposé de passer en « cinquième nouvelle » pour apprendre le latin, mais j'ai objecté que je tenais surtout à mon mandat de chef de classe, que je risquais de le perdre si j'allais dans une autre section, et tant pis pour le latin ! Je n'ai pas hésité une seconde entre le latin et mon mandat.

La troisième bouclée, j'ai décidé de gagner de l'argent et de partir. Mes parents me laissaient totalement libre dans mes études et totalement libre dans ma vie en général, pourvu que je sois ponctuelle aux heures des repas.

Ma mère est de souche paysanne, elle était la treizième enfant d'une famille de quatorze. Par chance, ses premiers employeurs étaient originaires des Baléares — le Territoire de Belfort avait été plus ou moins colonisé par les marchands de primeurs qui venaient des Baléares, et ces derniers entretenaient avec leur petit personnel des rapports chaleureux ; bonne à tout faire, ma mère était cependant traitée comme la fille de la maison, y compris pour partager la dèche quand c'était une époque de dèche. Elle a appris le patois des Baléares, elle est allée là-bas. Elle a travaillé dans un magasin de primeurs et un café, où elle a rencontré mon père qui, lui, était cheminot, et elle a continué, une fois mariée, à faire des ménages.

Elle m'a transmis son sens de l'humour, son bon sens. Elle m'a appris des cantiques et répétait : « Heureusement qu'il y a l'école, parce que, dans la famille, Marguerite n'entend parler que du bon Dieu et des chemins de fer... » Et, en effet, ce fut ma formation.

Mon père, lui, était maître ouvrier à la SNCF, une toute petite situation de cheminot, mais qui offrait des avantages. Il avait préparé l'examen de visiteur, savait rédiger un rapport, ne s'exprimait pas mal du tout ; il lisait, les journaux surtout, mais il lisait. Complètement autodidacte, il vouait un amour au travail en équipe et à la vie des chemins de fer qui a façonné ma vie (les métaphores ferroviaires me viennent d'autant plus naturellement que je suis, on l'a vu, un chef de gare manqué). Il aimait beaucoup l'État, et disait que c'était le meilleur des employeurs même s'il payait peu.

Je suis née en 1935, et suis fille unique (mais entourée de copains exotiques, enfants de vanniers et de forains, drôles, fraternels). Vivre 1939 à Belfort, ce fut une fameuse expérience : partir pour la Suisse, s'y réfugier durant quelques mois, gagner la zone libre et retrouver un pays occupé, retrouver des camarades de classe qui portaient l'étoile jaune. Voir comment on désignait les Juifs dans les rues de Belfort. Mon père a été déporté parce qu'il était cheminot et, comme cheminot, réfractaire. A la gare de Belfort, on sabotait magnifiquement l'outil de travail. Mes études se sont poursuivies à la campagne dans une classe unique et je m'amusais dans les maisons démolies. Avoir un maître, un seul, c'était tellement mieux que les maîtresses de l'école primaire de la ville !

Ces réminiscences ne sont nullement pathétiques, ou alors mêlées de fantaisie ; j'ai été très profondément marquée par cette période-là, elle reste importante dans ma vie, elle l'est probablement aussi dans mes pratiques éducatives.

En troisième, donc, j'ai décidé de gagner de l'argent, de quitter l'école, et je m'étais arrangée avec une camarade du collège classique, dont le père était directeur du laboratoire d'analyses médicales de l'hôpital et voulait bien m'employer. Mais il me fallait un certificat de bonne conduite signé par la directrice. Je suis allée chercher ledit certificat au bureau.

Le bureau de la directrice, on y entrait comme on voulait. En cinquième, j'étais allée lui présenter les vœux de la classe, puis j'avais été saisie par le fou rire. Je lui avais dit :

— Je reviendrai tout à l'heure quand je rirai moins.

Et elle :

— C'est ça, reviens quand ça ira mieux.

Bref, on entrait, on sortait, on avait le fou rire, ce n'était pas grave, ce n'était pas un lieu sacro-saint, c'était l'endroit le plus sympathique et le dernier recours. J'ai demandé mon certificat de bonne conduite.

— Non, je ne veux pas te le donner, tu es la meilleure élève du collège, tu vas entrer en seconde, il est hors de question que tu arrêtes tes études maintenant.

Ce pouvoir excessif sur moi m'a laissée un petit peu perplexe. Elle a ajouté :

— Pourquoi veux-tu travailler ?

— Pour gagner de l'argent.

— On te fera gagner de l'argent, on te trouvera des élèves.

A partir de la seconde, j'ai eu des « tapirs [1] », et cela m'a beaucoup instruite. Je gagnais bien ma vie, mon travail personnel passait après, mais j'en venais facilement à bout, et j'ai ainsi atteint la terminale.

Sciences-ex, math-élem, c'était beaucoup de travail, ce n'était pas pour moi. Mais, pour faire philo, il fallait rejoindre le collège classique. Ce fut sur le plan intellectuel facile, sur le plan moral horrible. Les élèves du collège moderne

1. Dans le vocabulaire des grandes écoles : élève auquel on donne, moyennant finances, des cours particuliers.

étaient reçus au collège classique comme des pouilleux, des « esprits bâtards » (disait le prof d'histoire), ni littéraires ni scientifiques. C'était atroce.

Que choisir quand on a son bac et qu'on est à Belfort ? Plusieurs de mes profs étaient d'anciennes fontenaysiennes et m'ont expliqué que je pouvais préparer le concours de l'École normale de Fontenay pour devenir professeur. « Si vous êtes reçue au concours d'entrée, vous êtes payée », assuraient-elles. J'étais complètement obsédée par cette nécessité d'être payée, non que ma famille m'en fît obligation — on avait très peu d'argent, mais on vivait —, c'est moi qui y tenais absolument.

J'avais déjà décroché une bourse de la ville de Belfort, ce qui m'a valu de réviser quelques notions d'histoire et de géographie que je n'aurais jamais révisées si je n'avais été contrainte de montrer mon bulletin à M. le maire. Sur une telle lancée, mes camarades devenaient généralement institutrices à la sortie des deux bacs ; or, j'avais une peur panique de la campagne, je chantais faux, je ne savais pas coudre, je n'étais toujours pas manuelle et je sentais que, pour pratiquer l'enseignement primaire, il fallait un minimum d'habileté manuelle, un minimum d'aptitude à apprendre le chant aux élèves, enfin courir le risque d'être nommée à la campagne.

Cette trouille intense de vivre à la campagne m'a immédiatement donné l'amour des études supérieures, et je suis partie pour Besançon, au lycée Pasteur, préparer Fontenay en internat, sans jamais mesurer ce qu'était un concours d'entrée dans une grande école, pensant en gros que, si l'on préparait, on réussissait.

J'avais une vocation administrative depuis la quatrième,

mais ma vocation universitaire, elle, était très, très ténue. J'ai suivi deux options jusqu'à la Toussaint, tellement j'étais peu sûre de ma spécialité ultérieure. D'abord l'anglais, parce que l'anglais m'amusait beaucoup ; j'avais fait des séjours en Angleterre — comme j'étais fille de cheminot, c'était abordable. L'Angleterre m'avait infiniment plus séduite que l'Allemagne (j'étais depuis 1945 foncièrement germanophobe, ce que je ne suis plus intellectuellement, mais viscéralement je n'en jurerais pas). Et puis j'ai choisi la philo parce que la philo m'intéressait. Mon professeur, M. Vergez, auteur de manuels célèbres, m'a dit aux vacances de la Toussaint : « Vous écrivez de très bonnes dissertations, mais vous n'éprouverez jamais l'angoisse métaphysique ; je vous conseille de prendre l'option anglais. »

C'était plutôt gentiment dit et cette déclaration m'a rendu un immense service. Spinoza, ce n'est pas du tout mon affaire. J'avais établi le compte à rebours de mes études : propédeutique, un an, licence, tant d'années, CAPES ensuite, de telle année à telle année, prof, et j'avais enfin déterminé la date à laquelle je deviendrais proviseur, sans m'accorder un seul accroc de parcours. J'avais inscrit sur mon cahier de textes en hypokhâgne : dix ans d'enseignement et, après, une carrière administrative. Quand j'avais une mauvaise note au collège, je me disais que c'était la faute du prof, et mes parents admettaient volontiers que j'avais raison. J'ai abordé avec autant d'assurance la classe préparatoire. Et j'ai reçu les douches rituelles, les 2 en dissert' pendant un temps, les notes au-dessous de la moyenne en anglais. Je ne pensais pas qu'une chose pareille fût possible. Je me suis accrochée trois années durant : une hypokhâgne et deux khâgnes, avec chaque fois un trimestre de pannes de santé qui étaient fort précieuses parce qu'elles me fournissaient l'occasion de m'installer à l'infirmerie. Et là, je découvrais l'envers du lycée, sa machinerie intime. J'y ai tout appris sur le fonctionnement des bahuts ; j'aidais le censeur à préparer l'emploi du temps. Mes ennuis de santé étaient réels, mais ils se manifestaient surtout à l'heure des travaux sur table. En revanche, lorsqu'il s'agissait d'écouter les potins sur le futur mariage du censeur et du cuisinier, je recevais le message cinq sur cinq.

C'était formidable, le lycée Pasteur à Besançon. C'était un très beau couvent où les préparationnaires à Fontenay, à l'ENSET [2] et à Ulm « intégraient » à raison de un tous les quatre ou cinq ans mais étaient traités comme l'élite de l'établissement, avec quantité d'égards. Au troisième trimestre, on recevait des suppléments de fruits au petit déjeuner. Quand nous passions le concours, les agents plaçaient des fleurs sur notre table, on déviait la circulation du lycée pour que nous soyons au calme...

J'étais chef « tala [3] », à la JEC [4] (même au paradis, je me voyais chef de service). Nous avions un aumônier, un capucin ou un dominicain, qui était un type remarquable. Et il y avait aussi le marxisme, les copains du PC. A Belfort, l'espèce était inconnue. Mais en prépa, elle comptait de fameux échantillons. On s'est tapé dessus. J'ai subi la visite médicale avant le concours d'entrée avec des bleus impressionnants sur les bras ; le médecin ne voulait pas croire que je m'étais battue. On se tabassait lors des comptes rendus de

2. ENSET : École normale supérieure de l'enseignement technique.
3. En jargon folklorique des normaliens, « tala » : « personne qui va-t-à-la-messe ».
4. JEC : Jeunesse étudiante catholique.

dissert' à grands coups de savate, sur des points de querelle complètement idéologiques.

En fait, je n'avais rien lu. Le programme de littérature, par exemple, la bibliographie que nous donnait le prof de lettres, pour moi, c'était du jamais vu. Je ne savais pas qui était Thierry Maulnier, ou à peine, je ne savais pas qui était Brasillach. Pourtant, c'étaient nos grands critiques. Les sujets de dissertation annonçaient toujours : Thierry Maulnier a émis telle hypothèse, qu'en pensez-vous ? Brasillach écrit à propos de Corneille... Je me suis également aventurée, hors programme, vers la caractérologie, la psychanalyse, le personnalisme chrétien, Gabriel Marcel. Mon professeur d'anglais m'initiait à la musique — je n'avais jamais entendu de disques.

J'ai obtenu le bac en 1954 et suis entrée à Fontenay en 1957. 54-57, c'est ma première rencontre avec la culture. Mais pas avec la formation. J'avais reçu au collège moderne une formation de base très solide. Je savais travailler, je savais prendre des notes, je savais trier les éléments essentiels d'une œuvre, je savais lire correctement une table des matières. Je savais faire un exposé oral. Mais je ne savais pas du tout ce que c'était que la culture. A la maison, l'unique lecture était l'indicateur Chaix dans lequel je me débrouillais d'ailleurs admirablement. J'avais eu la chance de passer tous les ans quinze jours de vacances chez une vieille cousine à Paris. Et j'avais couru les musées parce que les profs avaient dit qu'il fallait y aller. Je me rappelle, en particulier, à la fin de la seconde, ma visite du musée Rodin. Je ne faisais pas la différence entre la culture et le réel... Pour moi, j'avais rencontré Rodin, j'étais sûre d'avoir vu Rodin en revenant du musée Rodin. L'entrée dans le monde culturel était une rencontre aussi directe que la rencontre des gens qui travaillaient avec mon père à l'atelier. Claudel, par exemple. Claudel et Bach, je les ai découverts en prépa, mais comme des gens qui appartenaient brusquement à mon monde et que je m'appropriais totalement. C'était de l'ordre de l'amitié, de l'ordre de la sensation...

Je suis entrée à Fontenay un peu à l'arraché, en option anglais puisque le prof de philo n'avait plus voulu de moi. Et alors là, la vie de château ! 60 000 francs par mois, logée dans la banlieue parisienne, prière de finir une licence que j'avais largement commencée (il ne me manquait plus que deux certificats), une année d'Angleterre. On rencontrait des scientifiques et des littéraires, on avait de l'argent, on allait en cours en Sorbonne si l'on voulait bien, on avait quelques leçons à l'école et un objectif : quatre ans pour préparer l'agreg ou à défaut le CAPES [5], avec dispense de l'écrit du CAPES. Les années d'école, ça a été formidable. J'ai appris la dactylo, j'ai suivi des cours de diction, des cours de méthodologie, j'ai commencé le russe pour avoir le droit d'avoir un ticket de resto U pour déjeuner à Paris. Je suis redevenue tala après avoir connu une période difficile en prépa. J'ai adhéré au SNES [6]. Et je me suis fait casser la figure à une manif contre la suppression de l'UGEMA (Union des étudiants algériens). J'ai reçu un coup de pèlerine devant le Cluny et suis devenue l'héroïne d'un jour à l'école, parce que c'était héroïque d'être victime des flics. C'était paisible, Fontenay.

5. L'agrégation et le CAPES (certificat d'aptitude à l'enseignement secondaire) étaient — et restent — les deux principaux concours de recrutement des professeurs.

6. Syndicat national des enseignants du second degré, affilié à la FEN.

Et surtout, ce n'était pas Sèvres. La première chose que la directrice nous expliquait, c'était cela : nous n'étions pas sévriennes. Elle ajoutait qu'étant donné notre milieu social d'origine, il était normal que nous manifestions notre changement d'état par une période de boulimie alimentaire. Elle était elle-même sévrienne, et venait exposer ce message gravement au réfectoire, précisant que l'intendante était ici beaucoup moins à l'aise dans sa gestion que sa consœur de Sèvres. Donc, que nous voulions bien considérer nos racines familiales comme des racines à extirper sous peu, si nous entendions accéder et à la culture et à une régulation de notre diététique. Excellent vaccin contre le snobisme. On savait que Sèvres et Ulm étaient L'École, article défini, et que Fontenay n'était qu'une école. Je n'ai donc guère éprouvé de sentiment d'appartenance à une élite. Plus tard, quand j'ai été agrégative, logée à Concordia dans le Ve, notre hôtesse, Mme Rocard, la mère de qui l'on sait, nous expliquait que nous étions le flambeau de la nation, et nous commencions à le croire un petit peu. Par rapport aux étudiantes libres, ou aux profs préparant l'agreg, nous jouissions d'un confort incroyable. On était assisté. On avait des répétiteurs à domicile, on faisait du thème, de la version autant qu'on en voulait, on avait une excellente bibliothèque.

Mais je dirais que, sur le plan social, je n'ai pas « trahi ». Je n'ai compris ce que représentaient ces mafias d'« anciennes » que lorsque j'ai été nommée proviseur ici. Jamais avant. Ni pendant mes années d'enseignement. J'avais eu des profs qui étaient fontenaysiennes, cela me paraissait un moyen commode et financièrement avantageux de terminer ses études. Et c'est tout ce qui m'a effleurée.

C'était une chance, au fond, que d'être provinciale et d'avoir intégré depuis ma province. Les filles qui venaient de Fénelon, Camille-Sée, Jules-Ferry, avaient vécu presque un bagne dans les classes prépa. Alors qu'à Besançon, on faisait des excursions en début d'année, des excursions de fin d'année, et l'on attendait les résultats de l'écrit de Fontenay en cueillant des cerises dans le verger du « père Carré », le prof d'allemand. Les filles savaient qu'il y aurait éventuellement deux admissibles, et puis peut-être une reçue. Et les autres continuaient une licence et le CAPES à la fac sans difficulté aucune.

En revanche, habiter Fontenay, avoir très peu de boulot, venir au spectacle à Paris, fréquenter la Semaine des intellectuels catholiques, courir les conférences du Centre Richelieu, galoper aux intertalas Fontenay-Cloud-Sèvres-la rue d'Ulm avec Lustiger en chaire, s'abonner au TNP, vivre, des soirées entières, à la cinémathèque, pouvoir offrir des cadeaux à ses parents, partir à l'étranger sans demander un sou à personne, moi qui avais vécu de tapirs entre la seconde et la terminale, quelle existence de pacha ! Quand j'ai constaté que ma dernière année d'école avait sonné, j'ai pris peur. J'ai vite passé le CAPES de crainte de rater l'agreg. Mais échouer, ce n'était pas encore entré dans mon paysage.

On m'avait prévenue qu'il convenait d'enseigner dix ans avant d'opter pour l'administration. J'ai accompli mon temps. En attendant d'être directrice, cela ne m'ennuyait pas d'être prof. J'ai découvert le métier pendant mon stage d'agreg au lycée Hélène-Boucher, plutôt à la dure. Cela n'a jamais été pour moi une passion. Ma passion, c'étaient les gosses, mais leur enseigner l'anglais ou le chinois, ou lacer leurs souliers, ça m'était assez équilatéral. Naturellement, comme je ne manquais guère d'amour-propre et avais quelques idées, j'acceptais de relever le défi. N'empêche : ce n'était pas mon métier. Sans doute, j'ai créé des clubs d'anglais ; j'ai été secrétaire du S1 ou du S2 (sections locales ou départementales du SNES), j'ai été présidente du foyer socio-éducatif, j'ai été chef, toujours chef, mais non pas chef comme je me promettais de le devenir.

De 1962 à 1973, j'ai été prof d'anglais à Mulhouse, au lycée de filles, le lycée Montaigne. On a ouvert un collège universitaire où j'ai parallèlement enseigné le thème anglais et la littérature pour les gens qui préparaient la licence de lettres modernes.

Auparavant, ma carrière d'enseignante a commencé par une expérience douloureuse de stagiaire au lycée Hélène-Boucher. J'ai été accueillie par une femme méprisante envers les stagiaires et les élèves. Elle m'a ainsi saluée : « J'espère que vous savez que je suis trésorière de la Société des agrégés (je n'en savais rien du tout), je déteste les stagiaires, je ne vous ai prise que parce que le collègue qui devait s'occuper de vous est tombé malade. Je vous préviens : je n'ai jamais eu de stagiaire qui ne chiale pas au bout de quelques jours... »

Cette salle des professeurs du lycée Hélène-Boucher ! Ce prof qui me disait : « J'ai cours au troisième, les stagiaires ne sont pas autorisés à prendre l'ascenseur ; vous voudrez bien être néanmoins au troisième en même temps que moi par l'escalier. » Cette « conseillère pédagogique » qui, en fin de stage, m'a fourni sa recette pour doubler son traitement en donnant des « petits cours ». J'avais gagné son estime intellectuelle et, pour preuve d'estime, elle m'avait donné son truc : traitement d'agrégé débutant, tant aux impôts, et, dans la colonne voisine : petits cours, tant d'heures, tel prix par élève, pas de déclaration aux impôts — vous doublez votre traitement. Elle avait eu cette phrase extraordinaire : « Si vous ne donnez pas de petits cours, vous n'aurez jamais de manteau de fourrure. » C'était la dernière des ambitions à laquelle j'aurais songé !

En salle des profs du lycée Hélène-Boucher, je me rappelle une collègue de gym qui soupirait le lundi matin : « Dire qu'il va falloir retrouver tous ces tas de bidoche et leur faire cours... » J'ai détesté cette atmosphère. Aimé les élèves, en revanche, bien aimé les élèves, après une semaine très pénible où ils m'avaient chahutée. Ma conseillère leur avait dit — à mon insu — qu'il fallait essayer de me chahuter, que c'était l'unique moyen de tester les aptitudes des stagiaires pour l'enseignement. D'ailleurs, à la fin du stage, quand les élèves sont venues me remercier, elle a commenté : « Vous voyez, c'est la classe de première M' qui vous remercie, vous ne plaisez qu'aux imbéciles. »

D'un bout à l'autre, cette découverte du milieu fut une catastrophe. A mon arrivée dans ce lycée parisien qui était une véritable usine, j'avais demandé s'il convenait de se présenter à la directrice. Réponse : elle n'a pas de temps à perdre avec les stagiaires d'agreg. Tout fut à l'avenant. C'était en outre l'époque des nouvelles instructions sur l'enseignement de l'anglais où l'on était prié de mener l'interrogation en neuf minutes et demie, de consacrer treize minutes à la grammaire, de présenter le vocabulaire en inventant une histoire pour introduire les mots nouveaux (six minutes), bref, un découpage totalement aberrant. De cette période émerge cependant un souvenir reconnaissant à l'égard d'une vieille dame discrète, professeur d'anglais, elle aussi, qui m'avait furtivement glissé dans l'oreille : « Ne vous en faites pas, Mme D. est toujours ainsi avec les stagiaires mais elle donne de bons conseils et vous avez toute la sympathie des collègues d'anglais. » J'avais besoin de consolations car mon conseiller venait de brailler en salle des professeurs : « Et dire que cette imbécile demande, en seconde, combien il y a de roues à un vélo ! » Voilà mes débuts...

Là-dessus, je suis nommée à Mulhouse dans un lycée teutonique comme ce n'est pas pensable, tout recouvert de lierre, avec une belle tour : un lycée de filles (il est devenu mixte pendant mon séjour). Les élèves étaient propres, gentilles, bien peignées, déférentes, extrêmement bonnes linguistes — passer de l'alsacien à l'anglais, pour elles, était un jeu d'enfant, plus facile que de revenir au français. Mes « clientes », en anglais, étaient soit des filles de mineurs de potasse d'Alsace d'origine polonaise, soit des israélites qui, pour des raisons politiques fort compréhensibles, ne voulaient pas pratiquer l'allemand. L'enseignement de l'anglais, à Mulhouse, c'était pain bénit, on expliquait encore Shakespeare en première et ça mordait, les filles étaient enthousiastes.

J'étais très heureuse, mais quelque peu déconcertée par le corps professoral et d'abord par sa hiérarchie. A mon arrivée, la directrice m'a dit : « Vous n'êtes pas ancienne élève du lycée, donc je pense que vous ne resterez pas ici. Et vous n'êtes pas alsacienne, raison de plus. » J'ai répondu que j'avais choisi Mulhouse, que mon intention était d'y demeurer plusieurs années. Et cela malgré la double tare de n'être ni alsacienne (tout en portant un nom alsacien, circonstance aggravante) ni ancienne élève de la maison. Elle a ajouté : « Vous avez beaucoup de chance parce que vous ne fonctionnez pas aux Fossés et que vous avez une première chaire. » Les deux expressions m'ont paru aussi mystérieuses l'une que l'autre. J'ai donc consulté mon ancien prof d'anglais de Belfort qui a éclairé ma lanterne : les Fossés, ce devait être une annexe. Effectivement, le lycée avait une annexe quai des Fossés, et quand les collègues étaient affectés quai des Fossés, c'était la catastrophe, c'était la tuile. J'étais donc vernie. Quant à la « première chaire », j'ignorais que huit heures d'enseignement dans les classes de première et de terminale nous valaient le paiement d'une heure supplémentaire. C'était Byzance. Ainsi ai-je été reçue par Mme Gleisberg, la directrice, un ancien prof du lycée Fénelon, très rousse, très alsacienne, maniant la langue française parfois assez mal, mais qui avait beaucoup d'allure.

Quant au corps professoral, je vois encore une collègue me susurrer un mois et demi après la rentrée : « Mais vous auriez dû me dire que vous étiez agrégée ; je viens de voir dans le bulletin de la Société que vous aviez été reçue à l'agrégation ; je ne vous ai jamais adressé la parole jusqu'à maintenant, mais je ne vous savais pas agrégée ! » Ce qui me frappait aussi, c'était que les discussions en salle des profs tournaient toutes autour des vacances et de la nourriture des nouveau-nés. Comment langer les bébés, leur fournir une alimentation convenable, tel était l'essentiel de l'ordre du jour. En pays concordataire, les syndicalistes comme moi rasaient les murs, réglaient discrètement leurs cotisations surtout si c'était au SNES (je ne puis quitter la FEN, c'est autant affectif qu'idéologique). Au fond, je retrouvais mon collège de 1947, je retrouvais l'époque où j'étais élève. On ne disait plus, comme jadis en Alsace quand on rencontrait un professeur : « Loué soit Jésus-Christ, bonjour mademoiselle. » Mais cet esprit-là n'était pas mort.

Le professeur était quelqu'un de respecté, il recevait des cadeaux à Noël. Et son statut social restait analogue à ce que j'avais connu à Belfort. Les parents d'élèves se tenaient respectueusement à l'écart, une note ne souffrait aucune discussion, les conseils de classe se passaient surtout en évocations des frères ou des sœurs de l'intéressée que la directrice avait connus naguère, voire des oncles et des tantes. Nous assistions ; elle bavardait autour du bulletin, et si l'une de nous suggérait : « Mais, madame, on pourrait peut-être lui mettre une parole encourageante », « Je la mettrai, je la mettrai », répondait-elle. On assistait au conseil de classe, mais on ne participait pas. Aucune concertation : chaque collègue travaillait dans son coin, à sa place.

Les bizuts comme moi faisaient leurs premières armes tant bien que mal. C'est en général les élèves qui fournissaient les renseignements les plus utiles : « Madame, vous nous donnez un devoir toutes les semaines, mais le prof d'allemand, lui, en donne un tous les quinze jours. » On réajustait le tir au fur et à mesure que les élèves nous informaient.

Les deux seuls représentants du sexe masculin qui franchissaient les portes du lycée Montaigne étaient l'aumônier et le rabbin. Ils avaient droit de cité en salle des profs puisque leur enseignement, selon le régime concordataire, était intégré dans les horaires. Le pasteur jouissait des mêmes prérogatives, mais demeurait à l'écart. L'aumônier, lui, était un personnage d'opérette, extrêmement plaisant, tenant salon et donnant des conseils aux dames sur l'éducation de leurs enfants — puisque les enfants en bas âge étaient la préoccupation essentielle de la salle des professeurs. Mes collègues avaient des maris qui occupaient de brillantes situations sur la place de Mulhouse — ingénieurs EDF, ingénieurs des mines de potasse —, et donc travaillaient par plaisir, par goût de l'émancipation ou de la vie intellectuelle. Leurs seuls problèmes étaient des problèmes d'intendance concernant leurs enfants et leurs baby-sitters.

Là-dessus a explosé Mai 68. Même à distance, je ne saurais m'en défendre : je suis obligée d'avouer combien j'ai été emportée par l'enthousiasme de 68. Les gosses de première S dont j'ai maintenant la charge à Fénelon, ce sont, à mes yeux, les petits frères du copain de première C avec lequel j'ai rédigé un cahier de doléances durant le week-end de la Pentecôte 1968. J'avais demandé à ma mère de me préparer des victuailles et, tout le dimanche, au lycée de garçons de Mulhouse, nous avons travaillé sans désemparer, ce jeune homme et moi, car nous étions corapporteurs d'une commission et devions fournir avant le mardi un texte présentable à l'inspecteur d'académie.

Au collège universitaire où j'enseignais parallèlement, l'ambiance était follement drôle. Les étudiants ne voulaient plus qu'on parle de maître parce que le maître supposait l'esclave ; j'entends encore les recherches de synonymes de maître pour supprimer l'esclave... Je me suis énormément amusée. Au lycée, régnaient la joie d'occuper les locaux, la joie d'expliquer à la directrice que ce n'était plus elle qui commandait, sans compter le plaisir triomphal de faire creuser une mare... premier aboutissement de nos revendications. La collègue naturaliste voulait absolument cultiver des algues, élever des bestioles : la mare fut une conquête historique.

Au lycée de filles, les non-grévistes étaient majoritaires. J'avais décidé de venir informer mes collègues qui continuaient à travailler de tout ce qui se passait au lycée de garçons. Nous respections les non-grévistes mais veillions à leur fournir des nouvelles fraîches, à communiquer les progrès de nos cahiers de doléances. Et naturellement, on en débauchait tous les jours une ou deux.

La réorganisation du temps scolaire était notre objectif majeur. La directrice s'inquiétait : « Mais si l'on crée une demi-pension, où vais-je installer les fourneaux ? » Sa grande angoisse était là. Parce que le déjeuner alsacien, c'était tabou. Les élèves retournaient à la maison entre midi et deux heures. Et nous entendions briser ce rite sacré. Nous parlions encore des clubs, des activités socio-éducatives, des programmes, de l'introduction de travaux dirigés, effectués en petits groupes (d'où la mare), de sorties pédagogiques. Et tout cela s'est retrouvé au cœur des débats des conseils d'administration, dans l'après-Mai.

J'étais très favorable à la transformation des règlements intérieurs. Je me suis battue, en particulier pour que les élèves choisissent librement leur tenue vestimentaire. Auparavant, elles avaient le droit de porter des pantalons marron, mais pas jaunes. Et le conseil d'administration discutait gravement pour déterminer si la couleur moutarde était un jaune ou un brun. Si c'était un jaune, c'était interdit ; si c'était un brun, c'était autorisé. Je me rappelais les bagarres au lycée de Besançon où les socquettes étaient interdites mais les chaussettes autorisées, les bas permis, et les pantalons proscrits sauf s'ils étaient unis. J'avais conservé de ces finasseries et de certains conseils de discipline une sainte horreur. Au-delà se jouait l'aspiration des élèves à afficher ce qu'ils désiraient exprimer, à bien connaître leurs notes et leurs appréciations, au réaménagement des sanctions et récompenses, à la suppression des classements. Oui, ce fut une période plus que rose : faste.

Mais je ne perdais pas ma cible de vue. Je voulais devenir proviseur. Plus que jamais. Absolument. Coucher au bahut me paraissait le point oméga.

Et cinq ans après Mai 68, je couchais dans mon lycée.

2. Leçon de choses

Où madame le proviseur
fait le tour du domaine

Pour devenir proviseur, il faut demander son inscription sur une liste d'aptitude. Et il convient de solliciter l'avis de son chef d'établissement. Ma directrice était partie à la retraite, non sans rancune à mon encontre s'agissant des cahiers de doléances dont j'avais été corédactrice. Elle avait même laissé quelques mots dans mon dossier signalant que j'étais une affreuse révolutionnaire. Ma contestation de la hiérarchie ancienne, je ne l'ai pas emportée au paradis, et cela m'a coûté une année supplémentaire de patience.

La nouvelle directrice m'a donné sa bénédiction et un conseil : « Demandez un poste de proviseur, parce que, si vous devenez censeur, vous vous enfermerez dans une alternative : ou bien vous vous attacherez à votre établissement et à son proviseur et vous ne serez jamais proviseur, vous resterez en seconde ligne, ou bien vous foncerez bille en tête contre votre proviseur et vous ne serez jamais proviseur non plus, parce qu'il vous mettra des bâtons dans les roucs pour vous punir d'avoir détourné son pouvoir. » Forte de cette suggestion, j'ai franchi l'étape suivante : un tête-à-tête avec l'inspecteur d'académie. Il avait devant lui une sorte de cible, une roue divisée en secteurs marqués « rayonnement », « autorité », etc., où il était prié de formuler un avis motivé.

Il avait lu le rapport du pré-stage que j'avais accompli dans deux établissements et m'a demandé les raisons qui m'incitaient à réclamer de nouvelles fonctions. Je lui ai répondu qu'à défaut d'être chef de gare, ou cardinal, ou chef des pompiers, j'estimais depuis la quatrième que c'était le plus beau métier. J'avais envie de commander. J'avais envie d'être dans un lycée qui soit mon lycée. Et je suis allée jusqu'au bout : « Aimer le pouvoir, ce n'est pas plus dépravé qu'aimer l'alcool. Eh bien, j'aime le pouvoir. J'aimerais agir avec mes élèves et mes profs. J'aimerais ne pas travailler seulement avec des enfants mais aussi avec des adultes, et surtout avoir une maison, la maîtrise d'un lieu où il y a des responsabilités à partager avec des personnes extrêmement variées. »

Il m'a demandé quelles me paraissaient être les contraintes les plus lourdes de ce métier. J'ai incriminé l'emploi du temps : les réunions, tout ce qui s'ajoute à l'horaire normal (les profs, eux, ont des repères plus nets). Si j'avais eu une famille, j'aurais peut-être hésité à opter pour l'administration. Mais dans la mesure où j'étais célibataire et tout à fait libre, cela ne me faisait pas peur. Pour comble, la règle était de se porter candidat sur six académies, soit un ample morceau de France.

Après cet entretien, me voilà inscrite sur une liste académique et promise à onze jours de stage de formation — onze ! — à l'issue desquels on figurait enfin sur la liste nationale. La formation initiale des chefs d'établissement, en 1972-1973, n'atteignait pas deux semaines. Nous, les postulants, étions rassemblés en internat à Mittelwihr, au milieu des vignes — c'était splendide.

Nous étions somptueusement installés dans un foyer qui appartenait au ministère de l'Agriculture et pris en main par des animateurs de pointe acquis aux techniques nouvelles. Leurs modèles de gestion semblaient très révolutionnaires, très modernes. Et ils ne reculaient pas devant la dynamique de groupe, les méthodes de simulation. C'était le début des magnétoscopes, on nous filmait et nous nous regardions en train d'animer une réunion, de présider un conseil d'administration fictif. Les vieux proviseurs de l'académie de Strasbourg n'acceptaient guère qu'on leur renvoie ainsi leur image de proviseurs dictateurs, manipulant les assemblées. Nous, en revanche, nous sommes intensément amusés. Parmi les gens avec lesquels j'ai beaucoup joué, il y avait l'actuel proviseur du lycée Camille-Sée, Françoise Chassagne, le préfet du Jura...

Personnellement, l'expérience m'a éclairée sur mon goût du commandement et aidée à identifier mes atouts. Vis-à-vis des adultes, j'ai su que j'allais pouvoir utiliser l'humour comme mode de gestion mais que ce n'était pas un bon registre avec les élèves, que les adolescents n'étaient pas forcément réceptifs à l'humour.

J'ai également appris que ce n'était pas *stricto sensu* du commandement, le métier de chef d'établissement, mais l'apprentissage d'une longue patience afin de réduire les conflits, lentement, avec courage. J'ai découvert enfin que modifier la vie scolaire, la vie des jeunes, c'était possible, que les demandes des élèves envers leur proviseur étaient relativement claires ; mais que, lorsqu'il s'agissait de gérer des agents et des professeurs, on n'avait pas trop de l'éternité devant soi pour progresser de quelques centimètres. Durant ces onze jours, j'ai mesuré que les profs n'étaient pas « le » prof que j'avais moi-même été et qu'il me faudrait un peu de chance et beaucoup d'énergie si je ne voulais pas finir, comme nombre de collègues, usée par les conflits de personnes.

Surprise ! au sortir de ce parcours initiatique : bien que première sur la liste académique au moment des nominations je ne figurais plus sur la liste nationale ! J'avais commis la grave erreur (administrative) de coller trois fois de suite à la première année du DEUG la fille d'un personnage important de la préfecture de Colmar. On m'en voulait beaucoup dans la famille. Au point que le père avait donné un coup de fil en haut lieu afin qu'on ne me nomme pas. Il avait rappelé mes activités fort subversives de 1968 et ajouté pour faire bon poids que j'étais communiste fervente. Rien de tout cela n'était écrit, j'étais donc déconcertée et, au lieu de suivre la deuxième partie de mon stage, je suis venue à Paris chercher quelque explication concernant ma non-nomination. Au ministère, j'ai été reçue par l'adjoint du directeur des lycées qui m'a carrément avoué : « Oui, en effet, il y a eu un ennui : le ministère de l'Intérieur n'a pas permis qu'on vous nomme. Mais vous savez, les accrocs de ce style, il s'en produit tous les ans. Pas de bruit. Surtout pas de scandale. Si vous voulez être nommée, refaites acte de candidature et vous obtiendrez une compensation l'an prochain. » Surtout pas de bruit...

J'ai écrit à D., alors directeur des lycées, et je lui ai demandé s'il voyait une objection à ce que je représente ma candidature. J'ai reçu une très belle lettre — que j'ai toujours — où il estimait, en gros, qu'il n'avait pas trouvé cette année un poste digne de moi et que je n'étais donc pas nommée mais que, sans aucun doute, l'année suivante, tout irait très bien. Et il a tenu parole, m'attribuant un poste dans son pays à la rentrée de 1973 : la cité scolaire de Nevers, 2 400 élèves, un lycée de quatrième catégorie — ce qui n'est presque jamais accordé lors d'une première nomination. Telle fut ma « compensation ». Cette péripétie valait bien des apprentissages. J'ai gardé un souvenir merveilleux de mon camarade Patard, alors dignitaire du SNES, que j'étais allée consulter, et qui tentait de me dissuader : « Mais vous n'avez rien à y gagner ! Vous vous rendez compte ? Vous perdez un poste de prof agrégé avec des cours en fac pour des semaines de cinquante heures, et vous vous battez pour ça ! Profitez donc qu'on ne vous ait pas nommée pour vous ressaisir ! » J'avais vraiment l'impression qu'il allait appeler police secours...

Je suis partie l'explorer, ce premier poste, au week-end du 1er mai 1973, ignorant que les courses de Magny Cours attiraient la foule et qu'il était exclu de dénicher la moindre chambre d'hôtel à Nevers. J'ai couché dans la salle à manger de l'hôtelier le plus proche du lycée du Banlay (tel était le nom de « mon » lycée), c'était déjà une manière de humer l'atmosphère puisque, au lycée aussi, on manquait de place. Le proviseur était en vacances. C'est une attachée d'intendance qui était de service et qui m'a dévoilé tous les coins et recoins de mon nouveau territoire. J'ai eu le cœur un petit peu serré en constatant que la cité scolaire était hors de la ville, moi qui ne suis pas campagne... J'ai jugé la ville de Nevers bien jolie et regretté que le lycée ne fût pas dedans. L'établissement était immense. L'inspecteur général qui m'avait annoncé ma nomination m'avait avertie : « Ah !

vous voulez du pouvoir ? Vous en aurez ; mais achetez-vous des patins à roulettes ! »

Le lycée du Banlay comprenait un lycée polyvalent et un CET annexé, avec un internat de 800 élèves. L'architecture se résumait en parallélépipèdes dispersés au hasard des pelouses, entre quelques rideaux de peupliers puisque ce sont les seuls arbres qui avaient eu le temps de pousser en dix ans — tel était l'âge de la maison. Le Banlay est un nom de quartier. Aujourd'hui, le lycée a été baptisé Raoul-Follereau. Moi, ça ne me déplaisait pas, cette absence de dénomination, parce que c'était un inépuisable sujet de débat au conseil d'administration ; quand nous n'avions plus rien à nous mettre sous la dent, nous recherchions un nom pour le lycée. Le Banlay, c'était le lycée nouveau, polyvalent, fourre-tout, sans prestige, sans tradition, mais grand, et son concurrent, le lycée Jules-Renard, était le lycée de prestige, l'ancien lycée qui possédait les sections nobles et pas de secteur technique mais qui était néanmoins, depuis quelques années, implanté dans la même cité scolaire car ses bâtiments étaient devenus vétustes et on l'avait déplacé du centre ville vers la banlieue. Comptons encore un collège, un CES à l'époque, une école primaire qui était l'école d'application de l'École normale, l'École normale elle-même et, en face de chez moi, l'inspection académique : pour ma prise de fonction, j'étais très entourée — la fenêtre de l'inspecteur d'académie donnait sur mon bureau.

Les concierges, d'emblée, m'ont bien plu, très pipelets. Mais lorsqu'ils m'ont guidée jusqu'aux dortoirs, la consternation m'a terrassée. Ces dortoirs étaient prévus pour accueillir 50 élèves, mais l'intendant y avait entassé 60 lits. Il ne restait quasiment plus d'espace entre ces derniers, les portes des placards ne pouvaient s'ouvrir de face et un rapport des services d'hygiène constatait que cet internat semblait pratiquement invivable. Tant de boîtes à sardines, cela m'a vraiment saisie à la gorge. Penser que 800 internes logeaient dans une promiscuité pareille, bien supérieure à celle que j'avais connue, moi, au lycée de Besançon, entre 1954 et 1957, où l'on avait tout de même un semblant de box, avec un petit rideau... Et encore, je n'avais pas deviné, lors de cette visite initiatique, que les élèves s'y tabassaient copieusement, qu'ils cassaient leur lit à l'occasion.

En contrepoint, j'ai découvert un élément comique : la chambre réservée à l'inspecteur, qui ouvrait sur un petit bassin avec jet d'eau, une espèce de cube, de serre. C'est là que j'ai dormi quand je suis allée préparer ma prise de fonction, fin juin, faire la connaissance du chef d'établissement, de l'équipe de direction et de l'inspecteur d'académie. J'ai eu droit à la chambre de l'inspecteur, une véritable fournaise, et au petit bassin complètement mièvre et riquiqui.

Mon approche de l'architecture locale s'est affinée. Ainsi ai-je remarqué les toits en terrasse. Du point de vue esthétique, je n'ai absolument rien contre, mais les toits en terrasse du lycée du Banlay à Nevers, c'était quelque chose. Il y pleut souvent et, quand il pleut, l'eau envahit les dortoirs. J'ai constaté aussi que l'endroit était ouvert à tous les vents. L'établissement avait été construit le long d'une déviation, à l'écart de la route de Paris, et de perpétuels courants d'air s'engouffraient entre les cubes de béton. Les pelouses semblaient très belles quoique fort pentues. Je n'ai su qu'après le problème que posait cette inclinaison : aucune tondeuse n'arrivait à les escalader. Heureusement, les élèves s'y couchaient fréquemment et l'herbe s'en trouvait aplatie à défaut d'être coupée. Enfin, l'itinéraire fléché pour circuler en voiture d'un point à un autre évoquait irrésistiblement le test du labyrinthe destiné à mesurer l'intelligence des rats. L'automobiliste naïf qui s'engageait dans une allée du Banlay aboutissait fatalement au sommet d'un escalier. Revenu au point de départ, il essayait de prendre une autre allée, et s'embarquait alors pour un tour complet du lycée.

Je me suis présentée au proviseur et je lui ai posé ce que je croyais être une question simple : « Qu'est-ce que vous faites toute la journée ? » Je n'en avais nulle idée claire. Son mari était professeur de philosophie, et elle m'a répondu : « Vous parlez comme mon mari ; il me demande le soir ce que j'ai fait. Et je lui dis : rien. Je n'ai rien fait ! Je ne peux pas résumer ce que j'ai fait. J'ai été un peu partout. J'ai vu des gens, mais je n'ai rien fait ! Qu'est-ce que vous voulez que je vous dise ? Je ne sais pas. J'ai vu le courrier, ça je sais que j'ai vu le courrier, et puis, le reste de la journée, j'ai fait ce qu'il y avait à faire, j'ai vu les gens qu'il y avait à voir, je suis passée là où il fallait passer, je suis sans doute passée à l'infirmerie, je suis passée au réfectoire... En période de conseils de classe, je sais ce que j'ai fait, mais, le reste du temps, je ne le sais pas. »

La machine était énorme. Il y avait 73 agents, 18 surveillants, quelque 150 professeurs entre le CET et le lycée proprement dit. Autant d'armées sur lesquelles il fallait conserver un œil, tout en déléguant le pouvoir et les responsabilités. L'équipe de direction comprenait deux censeurs dont l'un, le censeur du CET, était presque patron chez lui. L'intendant, avec ses 73 agents, sous-traitait beaucoup. Aux cuisines, par exemple, le « chef » était réellement un chef, et régnait sur le réfectoire.

La rentrée administrative précédait de huit jours celle des élèves. J'ai reconduit les dispositions de l'année précédente, parce que je ne savais guère par quel miracle je réussirais à enfermer mes 800 internes dans leurs boîtes à sardines respectives. J'ai constaté, et je constate toujours, que les problèmes matériels commandaient la majeure partie de la vie de l'établissement. Pour l'intendant, par exemple, l'angoisse était qu'il pleuve lors de la rentrée des internes. C'était capital. Il m'avertissait : « S'il pleut, s'il pleut, on n'y arrive pas. » Les conseillères principales d'éducation, elles, expliquaient qu'il ne fallait pas laisser rentrer les « CAP couture » en même temps que les « CAP collectivité », car ces derniers sont les élèves les plus durs et les plus jeunes.

Ce qui m'a frappée d'abord, c'est cela : la nécessité pour le proviseur d'écouter tout le monde et de tenter d'harmoniser les points de vue, prévisions météorologiques incluses. Un exemple : selon le règlement intérieur, les internes se lavaient à 6 heures du soir, puis redescendaient en étude et enfin allaient dîner, pataugeant dans la gadoue après avoir fini leur toilette. Pourquoi ? Parce que le château d'eau de Nevers était construit à une altitude inférieure aux dortoirs les plus élevés du Banlay et que l'eau ne montait plus le soir jusqu'à ces derniers. Il convenait donc de planifier la toilette en sorte que les élèves utilisent de l'eau quand les Neversois n'en utilisaient pas. La période creuse se situait vers 5 heures et demie-6 heures. C'était une hérésie, c'était complètement fou : les gosses revenaient à l'étude en robe de chambre, en babouches, barbotaient dans la boue à l'extérieur, puis remontaient cette boue dans les dortoirs. Mais nous n'avions pas le choix. La boue ou la crasse !

Au réfectoire, il n'y avait pas de couverts de service, tout le monde plongeait sa cuiller ou sa fourchette dans le plat. Voilà quelles étaient mes grandes découvertes, avec le sentiment ambigu de plonger dans une vie de caserne, de chambrée.

Le deuxième choc fut la prérentrée. J'ai appris ce jour-là que j'étais passée de l'autre côté de la barrière. La prérentrée était alors un rituel tout nouveau ; je n'en avais vécu qu'une seule, à Mulhouse — discours de Mme la directrice, kugelhof et gewurztraminer. J'y rodais mon numéro d'imitation de la patronne : plus elle commettait de fautes de français, plus j'étais ravie. Comme disent les élèves, c'était vraiment « cool » de rentrer. C'était se payer un charmant spectacle.

Mais, cette fois, le spectacle, j'en étais l'auteur interprète. La cérémonie se déroulait au bâtiment 4, qui comportait de fort belles salles de jeux destinées aux internes, où se trouvaient rassemblés les 150 profs et l'équipe administrative, les yeux braqués sur moi, attendant que la nouvelle y aille de sa déclaration de principe. Lors du stage de Mittelwihr, on nous avait mis en garde : si vous ratez votre prérentrée, ce n'est pas la peine d'espérer rattraper le coup, vous ne passerez pas l'année scolaire ; votre carrière se joue là, quand vous prononcez votre premier discours. J'ai dit que je débutais, que j'étais très impressionnée par l'immensité des lieux, par l'immensité de la tâche, et par la nécessité d'accueillir tant d'élèves de quatorze à vingt ans précisément l'année où l'on instaurait la mixité dans les classes d'enseignement général.

Jusque-là, en effet, les garçons allaient à Jules-Renard et

les filles au Banlay, sauf dans certaines sections techniques. Le premier trimestre, marqué par l'irruption soudaine des garçons, notamment les redoublants que le lycée Jules-Renard avait tenus au chaud à notre intention, a été passablement épique pour les professeurs. Le président des élèves s'appelait Bourdaloue et portait un magnifique pantalon vert renforcé aux fesses d'un cœur rouge. Bourdaloue et les autres éléments mâles avaient débarqué plus ou moins déguisés afin d'impressionner les dames du lycée du Banlay : chapeaux noirs, longues écharpes rouges, chaussettes blanches. On les voyait de loin, les garçons du Banlay !

On imaginait en outre les pires débauches à l'internat, puisque 80 garçons coucheraient désormais au lycée. En fait, ces 80 garçons n'intéressaient guère nos filles qui n'avaient d'yeux et surtout d'oreilles que pour les troufions en garnison à Nevers. La nuit, nombre de ces derniers donnaient sous nos murs des sérénades où la poésie n'occupait qu'une place allusive et limitée. Les voisins protestaient et, en retour, les filles leur jetaient savates, insultes, vulgarités multiples. Des séances de strip-tease étaient, paraît-il, discernables par les fenêtres de l'internat. Nos pensionnaires provenaient essentiellement du Morvan, région lointaine dont la spécialité est l'élevage selon toutes les acceptions du terme. Les filles du CET dépendaient notamment du bureau d'aide sociale à l'enfance de Seine-et-Marne qui plaçait ses jeunes chez les Morvandiaux.

J'étais impressionnée par la fascination qu'exerçaient sur elles les Nouvelles Galeries ou le Printemps. Les plus âgées sortaient librement le mercredi après-midi. Quant aux autres, je n'ai pas longtemps supporté qu'on leur inflige de parcourir les prairies de Nevers en rangs par deux, avec un pion qui ne se retournait jamais pour voir si elles étaient encore là. La promenade des « petites bleues », quand les aînées léchaient gloutonnement les vitrines, je jugeais cela injuste et sinistre. L'ennui, c'est que, sitôt libres, elles volaient. Il fallait aller les rechercher au commissariat, auprès du patron des Nouvelles Galeries ou de celui du Printemps. Elles fauchaient des transistors que les troufions du pays leur dérobaient ensuite. C'était mieux qu'un polar : avant que quiconque ait porté plainte s'était déjà produit un double vol. Les élèves n'hésitaient d'ailleurs pas à s'indigner de s'être fait voler un matériel qu'elles-mêmes avaient volé.

Et puis, l'apprentissage de l'internat, ce furent les premières bitures, magnifiques, du mercredi soir, chez les filles surtout — les garçons tenaient mieux le coup, l'habitude aidant. Ils buvaient du blanc, les garçons, tandis que les filles avalaient des cognacs ou des whiskies mélangés à de la bière... Le retour des internes, le mercredi soir, frisait l'épopée. Et la nuit du mercredi au jeudi, pour l'infimière et pour le chef d'établissement, n'était pas moins pittoresque. Une élève de première G, à qui j'avais dit que l'internat n'était pas un droit mais un service, que je la rendais donc à sa famille puisqu'elle était rentrée ivre deux mercredis de suite, m'a répondu crûment : « Vous êtes mal partie, madame : si vous nous renvoyez quand on a bu, vous allez vider votre internat et vous aurez des ennuis d'argent. C'est indispensable l'internat, pour le lycée du Banlay, vous devriez faire attention. » Elle avait raison, la gamine. L'intendant m'a vite fait comprendre qu'on était riche grâce aux internes, surtout empilés à 60 par dortoir de 50, et qu'il serait suicidaire de tuer la poule aux œufs d'or. Rude leçon.

Le club musique marchait très bien et animait des soirées dansantes. Tout l'internat s'entassait dans une salle qui ne pouvait théoriquement contenir que 150 personnes, et la cohue devenait indescriptible. D'autant que ne tardaient pas à s'infiltrer, franchissant la vigne qui était censée séparer le lycée Jules-Renard de celui du Banlay, les lycéens voisins, les loubards de la ZUP et les troufions en mal de distraction. Ces soirs de boum, l'hystérie collective grimpait : quand tous avaient bien sué et s'étaient abondamment trémoussés, impossible de les envoyer se coucher. Il n'y avait que deux méthodes pour mettre fin aux réjouissances : l'extinction complète des feux et/ou le lâcher des chiens. Plusieurs membres du personnel logés sur place étaient propriétaires d'animaux. Nous libérions nos « molosses » qui pourchassaient les envahisseurs tandis que les surveillants, complètement dépassés, s'efforçaient de rabattre leurs ouailles vers les dortoirs.

Pourquoi se lancer dans de pareilles aventures ? C'était la belle époque des foyers socio-éducatifs. A Mulhouse, j'en étais présidente, j'avais créé un club d'anglais, charmant, avec des élèves de cinquième dociles et zélées : nous visitions les magasins et la règle du jeu consistait à ne parler qu'anglais. Avec les 800 internes du Banlay, l'investissement socio-éducatif atteignait le stade industriel, mais j'étais cependant convaincue qu'il fallait courir le risque, développer les activités périscolaires. Conviction courageuse mais fort ingénue...

La première crise d'éthylisme dont j'ai été témoin, c'est un agent qui m'a permis de l'identifier comme telle. Les élèves de terminale D m'ont aidée à maîtriser leur camarade du CET qui avait bu cinq litres de vin pour son anniversaire, ses quinze ans. Il sautait au-dessus du sol, dans la cour, comme une carpe les jours d'orage. Les hommes de police-secours lui ont passé la camisole de force avant de l'emmener en ambulance. Et c'est la police aussi qui m'a révélé que le club musique, dont j'encourageais avec tant de témérité les initiatives, était un lieu où se revendait de la drogue.

J'y ai mis bon ordre, j'ai décrété la prohibition mais j'ai persisté. Un groupe rock s'est créé : il s'appelait « Lessiveuse-Super-Star ». L'enseigne était explicite : ça bouillonnait drôlement et c'était mené par un élève de première B qui s'appelait Mignon. Mignon était aussi laid que son nom ne l'indiquait pas et affichait sur son blouson une décalcomanie qui représentait une large bouche ouverte tirant la langue. Son sport favori était de quitter mon bureau en me tournant le dos. N'empêche : le club musique remportait un succès fou. Les artistes cognaient sur quelques gamelles, sur quelques batteries. Mais les spots de couleurs clignotant en mesure, les premiers synthés faisaient leur effet (bruyant). Inutile de dire que, dans l'équipe de direction, j'étais inégalement suivie, notamment par l'intendant qui était un monsieur raisonnable, avait derrière lui une longue carrière et essayait vainement de me ramener à la raison.

Et la vie, malgré tout, a trouvé son rythme. J'ai toujours eu du mal à démarrer le matin. Mais j'étais prête à 8 heures moins le quart, pour le petit déjeuner des internes. On dressait l'inventaire des victimes de la nuit — ceux qui s'étaient battus et se trouvaient présentement à l'infirmerie. Je vérifiais ce qu'il en était auprès de l'infirmière, puis je passais chez les concierges consulter le cahier du veilleur, lequel avait généralement été obligé de chasser des gens de la cour, ou avait reçu des cailloux lors de sa ronde.

Venait ensuite la partie la plus fastidieuse du rituel : le tri du courrier, qui dévorait une bonne partie de la matinée. Selon le jour, j'animais, la paperasse expédiée, des réunions régulières avec les conseillers d'éducation ou les surveillants. Un tour de réfectoire, un œil sur les études des demi-pensionnaires, une visite des recoins où les élèves se camouflaient pour sniffer de l'éther ou s'avaler le vin du civet, voire le rhum du cake (remplacé par du thé), une excursion sur les pelouses, une descente dans les dortoirs (qui étaient théoriquement fermés), et l'après-midi était sérieusement entamé. La suite est plus floue dans mon souvenir : la formation continue — alors naissante — y occupait une place très importante.

Hors programme, il y avait évidemment les tournées d'inspecteur. Rude souci ! Les inspecteurs, il fallait se les garder le soir, les distraire un peu, les transporter le lendemain chez le proviseur de Clamecy ou chez celui de Cosnes-sur-Loire, parce que les communications dans la Nièvre étaient déficientes. Et bientôt se sont multipliées de merveilleuses expéditions jusqu'au rectorat de Dijon, à 210 kilomètres, traversée du Morvan comprise. Je me suis vite passionnée pour l'équipe d'animation de la vie scolaire, malgré la fraîcheur de mon expérience administrative ; j'assurais la formation des futurs chefs d'établissement, suivais d'innombrables stages à Dijon ou Besançon. Souvent je partais vers 3 ou 4 heures du matin du Banlay et ne revenais que le soir.

Cela ne me coûtait pas d'habiter sur mon lieu de travail. Ce qui me coûtait, c'étaient les nuits où l'on était dérangé, où il fallait se rhabiller et aller voir chez l'infirmière si l'un ou l'autre de mes pensionnaires avait réellement tenté de se suicider ou « seulement » fait semblant. La dureté du métier, plus encore que le volume du travail ou la signature des factures repoussée au week-end, tenait dans la nécessité d'une disponibilité permanente. On était sans cesse sur le pont. Lorsque j'ai été nommée à Fénelon et que la dernière sonnerie a chassé les derniers occupants à 19 h 30, j'avais peine à croire que j'étais désormais libre juqu'à 8 heures le lendemain. J'étais si habituée, à Nevers, au total mélange de mes vies publique et privée, que cette liberté soudaine m'a saisie comme un (heureux) vertige.

Par rapport aux charges administratives et à l'internat, la gestion des personnels enseignants, sauf durant les conseils de classe, paraissait légère. Il s'agissait, au Banlay, de profs très jeunes, plus ouverts, plus dynamiques que ceux des lycées parisiens. Je ne saurais dire que l'atmosphère était exempte de tout conflit (un garçon du SGEN-CFDT pratiquait l'opposition à peu près systématique) mais, dans la hiérarchie de mes préoccupations, les enseignants n'occupaient guère le haut du tableau.

Toutefois, certaines dames un peu âgées ont été profondément ébranlées par la mixité soudaine. Les grossièretés des garçons, les plaisanteries des garçons, les bruits des garçons, c'était un traumatisme réel qui exigeait consolation et réconfort.

Le fameux Bourdaloue arrivait ainsi torse nu au cours d'anglais et Mme C. lui disait : « Rhabillez-vous ! » Il objectait : « J'ai chaud. » Bouleversée, elle débarquait dans mon bureau, clamant : « Je ne peux pas faire cours à mes élèves, il y en a un qui est à moitié dévêtu. — Quelle moitié ? » interrogeais-je. « La moitié supérieure... » Je tranchais alors : « Madame, puisque c'est la moitié supérieure, retournez à vos élèves, je ne vois aucune objection à ce que vous fassiez cours. » Et Mme C. confiait au censeur : « Je sais bien que Mme le proviseur est angliciste, mais elle a tout de même une étrange forme d'humour. »

Bourdaloue n'était pas plus reposant au réfectoire. Il n'en finissait pas de déjeuner. Tout le monde avait achevé son repas, c'était le deuxième service, lui était encore à table. Il expliquait : « Pour ma digestion, il faut que je mastique longtemps, c'est le docteur qui me l'a dit. » Les femmes de service lui ordonnaient de dégager. Il s'est alors rendu chez la documentaliste s'enquérir de la durée souhaitable d'un repas, et a constaté qu'il avait droit — ordre de la faculté — à une demi-heure. Il apportait à table un énorme réveil qu'on entendait battre dans tout le réfectoire et restait une demi-heure très exactement. C'était un folklore complètement nouveau au lycée du Banlay : les filles n'avaient jamais enlevé leur chemise pour venir au cours de Mme C. Elles ne portaient pas de pantalon vert avec des fesses rouges, ni de chapeau noir pour sortir du lycée ; elles étaient moins grossières et se lavaient plus souvent.

Cette révolution mise à part, les professeurs ne semblaient pas trop inquiets et ne m'inquiétaient pas non plus, sauf ceux du CET, en période de conseils de classe, parce que je ne comprenais pas la terminologie qu'ils employaient. Je venais, moi, d'un lycée classique et moderne et je ne distinguais point les sciences et techniques économiques des sciences économiques et sociales. Je ne savais pas que les STE, c'était de l'enseignement technique, et quc les SES, c'était de l'enseignement général ; que c'était une inspectrice générale qui contrôlait les sciences économiques et sociales et que, pour rien au monde, elle n'aurait mis les pieds à un cours de STE. Je ne savais pas exactement ce qu'était le « CAP couture-flou », ni que les futurs employés de collectivités étaient les plus sous-équipés intellectuellement de tous les élèves du Banlay. Et si je lâchais : « A la fin de la seconde spéciale, elle pourra passer en première G2, cette petite ! », on me répondait : « Non, madame le proviseur, elle ne peut pas faire de bureau commercial, elle n'est pas assez bonne en maths. » Je ne saisissais nullement le lien entre les mathématiques de seconde et le bureau commercial...

Je m'informais au jour le jour auprès du censeur, qui m'instruisait avec une infinie patience. Il y avait des PETT, des PTA, il y avait des PEG. J'ignorais les maxima de service de ces gens-là. Huit heures d'enseignement dans des classes de plus de 36 élèves égalent une majoration d'une heure. Un PTA qui enseigne en sciences et techniques économiques se voit majorer son horaire d'un quart d'heure par heure dans les classes de BTS. Dans les classes préparatoires, une heure égale une heure et demie. Etc., etc. J'ai taillé mon chemin à travers les « états VS » (vie scolaire) du CET et du lycée grâce à une secrétaire qui avait l'habitude d'éplucher les documents, qui avait été bien formée par mon prédécesseur, qui était une dame extrêmement consciencieuse et qui avait peur que j'aie des ennuis parce qu'on avait mal calculé les services...

Mon éducation était en bonne voie quand on s'est aperçu qu'un maître auxiliaire, déjà chassé de deux académies où il exerçait dans l'enseignement libre, était incapable de professer l'économie, ce pourquoi il avait été affecté au Banlay. Ce garçon était quelqu'un de gravement perturbé. Il n'avait pas d'appartement et campait dans sa voiture sur le parking du lycée. Il nous arrivait passablement défraîchi le matin, fleurant le petit vin de Loire qui lui était un soutien indispensable pour attaquer la journée. Il n'enseignait rien du tout mais se montrait extrêmement libidineux, enclin à tripoter les élèves, garçons et filles. Il avait d'ailleurs eu des histoires analogues dans les précédentes académies — on s'en est aperçu un peu tard, hélas ! lorsque j'ai réclamé son dossier.

J'avais demandé une inspection, car les élèves se plaignaient de comportements assez bizarres. Ils allaient jusqu'à lui administrer de vives bourrades, et l'autre jubilait : « Vos coups de poing sont pour moi des caresses. » Quand l'inspecteur s'est présenté (dans la classe, on se préparait des œufs sur le plat au son des transistors), il a constaté que ce « collègue », dépourvu de formation et de compétence, s'était improvisé maître auxiliaire : comme il faisait état de plusieurs années de travail dans l'enseignement privé sous contrat, le rectorat de Dijon l'avait engagé. Il fut remercié, bien qu'il eût tenté de mobiliser les syndicats en sa faveur...

3. Sweet home

Où madame le proviseur recolle quelques morceaux

L'épreuve suivante fut d'une tout autre ampleur. Le lycée venait de franchir le cap de la garantie décennale. Nous étions en 1974. Mon prédécesseur m'avait laissé un dossier signalant que quatre ou cinq fenêtres du bâtiment d'externat étaient tombées mystérieusement dans la cour. La maison perdait ses fenêtres. J'ai moi-même vu tomber la sixième. L'intendant suivait l'affaire depuis longtemps. Et puis il est tombé une septième fenêtre. La sixième avait basculé à l'intérieur d'une salle, ce qui m'avait fort émue. Et la septième, se descellant, elle, vers l'extérieur, a malheureusement blessé une élève au cuir chevelu. Ce n'était pas grave mais un ou deux garçons se sont évanouis, l'infirmière s'est affolée, a appelé les pompiers, l'inspecteur d'académie a demandé ce qui se passait. Et les professeurs ont débrayé, refusé d'enseigner davantage dans un bâtiment qui devenait dangereux.

J'étais encore kamikaze à cette époque – je n'avais pas été dressée par l'administration parisienne. J'ai rassemblé les élèves sur l'immense terre-plein qui jouxtait le lycée en contrebas. Je disposais d'une sono puissante, assez pour s'adresser aux 2 400 potaches. C'était la récréation de 10 heures. Je leur ai dit que je comprenais très bien qu'ils refusent de travailler dans un bâtiment dangereux, que je leur demandais d'être disciplinés, de rester dehors jusqu'à 14 heures, et qu'alors j'aurais obtenu la fermeture de l'établissement. Fermeture ! Ils étaient ravis, les profs aussi, tout le monde était paisible sur le terre-plein. Je suis partie chez l'inspecteur d'académie, un littéraire qui avait énormément d'allure, qui faisait très chevalier espagnol : « Vous avez raison, madame le proviseur, ce n'est pas possible, ça ne peut pas durer. Mais la fermeture ne saurait être décrétée par le chef d'établissement. » Soit. Mais par qui ? De bureau en bureau, j'ai appris, ce jour-là, que la chute des fenêtres ne relève des compétences de personne. Le recteur ne ferme que si se produisent des mouvements lycéens, des grèves, des atteintes à la discipline, des épidémies... En ce dernier cas, le maire, semble-t-il, a également son mot à dire (je le savais parce que nous avions frôlé la fermeture pour cause d'invasion par les poux ; les parents d'élèves coiffeurs niaient le phénomène, prétendaient que la chevelure de leurs rejetons n'abritait que des pellicules : il n'empêche, l'alerte fut sérieuse). S'agissant des fenêtres volantes, le maire, en tout cas, se récusait. Le préfet, lui, ordonnait la fermeture quand se présentaient des risques d'inondation ou après un incendie. Mais perdre des fenêtres ne relevait point de son pouvoir.

J'avais toujours rendez-vous à 14 heures. Après maintes consultations, le préfet a autorisé le maire à m'autoriser à fermer si j'obtenais l'autorisation de l'inspecteur d'académie. Me voilà donc, haletante, dans le bureau que j'avais quitté peu auparavant, et déclarant d'une seule tirade : « Je considère que je ne peux plus exercer mes responsabilités, je vous demande ou la fermeture du bâtiment ou de me décharger temporairement et, si vous trouvez que ce n'est pas suffisant, définitivement, de ma responsabilité de chef d'établissement. » Aujourd'hui, je ne me mettrais plus dans des états pareils. Mais j'étais débutante, persuadée que la goutte de sang que la fille blessée avait perdue sur le macadam de la cour du Banlay, c'était le déshonneur de ma vie. Mon interlocuteur a dû penser que j'étais un peu trop encombrante. Il s'est cependant rallié à mon point de vue.

L'analyse technique a révélé que les vis n'étaient bonnes à rien, ne mordaient pas dans le métal, qu'un fabricant, trop content d'en écouler des milliers, avait jugé astucieux de les refiler à un établissement scolaire. Naturellement, toutes les sociétés concernées avaient fait faillite depuis, et il était impensable de se retourner contre quiconque. Nous avons vécu des jours grandioses. La ville de Nevers nous a royalement offert 1 kilomètre quatre cents de cornières d'aluminium pour encadrer nos fenêtres. Et, surtout, il a fallu concevoir un plan d'évacuation et de poursuite du travail. Comme disaient les Anglais pendant la guerre : *business as usual,* lorsque, leur boutique rasée par un bombardement, ils continuaient leur commerce à la cave. On avait mobilisé l'internat, salles de jeux, salles de télévision, salles d'étude, les réfectoires même, plus des locaux prêtés par le lycée voisin. Et cela, deux mois durant.

Bien sûr, nous avons organisé des défilés en ville, afin de sensibiliser l'opinion, les parents, les élus. Nous étions les héros du *Journal du Centre* et de *la Montagne.* Nous avons même créé notre propre feuille, ayant pris goût à la notoriété que procure la presse. Les professeurs étaient éreintés de tant galoper d'un lieu à l'autre mais ils étaient nettement moins en retard qu'auparavant, et les élèves ont été épatants. Ils fonctionnaient presque en autodiscipline, les délégués-élèves rapportaient leur cahier de textes au bâtiment administratif qui, lui, n'était pas menacé de chute de fenêtres. D'un désordre sont nés l'ordre, la vie, l'humour, la gentillesse.

Un des professeurs, cependant, psychologiquement fragile, se croyait persécuté par les élèves et se reconnaissait dans les bandes dessinées du journal *la Gazette du Banlay*. Ladite bande dessinée avait pour héros une sorte de singe. Or ce collègue d'histoire estimait l'œuvre diffamatoire et exigeait réparation. Il s'insurgeait dans mon bureau contre les « dessins pornographiques » dont il s'imaginait être le premier rôle (ils n'étaient nullement pornographiques, de surcroît) et épouvantait ses collègues. C'était, je crois, un homme qui buvait après avoir traversé de très gros soucis personnels et familiaux. Lui-même — légitime défense ! — persécutait les élèves. Périodiquement, je recevais des lettres de parents qui protestaient : ma fille ne veut plus aller au cours de M. X, il fait des plaisanteries obscènes sur son compte. L'intéressé répliquait que la terre entière voulait sa peau parce qu'il avait des idées de droite et ne payait plus sa cotisation syndicale.

Cela dit, le monde enseignant, hormis ces quelques épisodes hauts en couleur, me posait au Banlay beaucoup moins de problèmes que je n'en ai rencontrés ensuite à Fénelon. La noria des maîtres auxiliaires était compensée par la qualité d'ambiance, l'intérêt pour l'innovation qui régnait dans les sections techniques. Les maîtres de CET et leurs homologues du lycée étaient très présents dans l'établissement, assuraient la continuité des enseignements si l'un d'eux venait à s'absenter, se portaient volontaires pour inaugurer d'autres formes de travail, pour créer des BTS [1].

Je ne mettais jamais les pieds en salle des profs. A Mulhouse, je n'aimais guère y croiser ma directrice. Devenue proviseur, j'observais cette règle de discrétion. J'attendais le soir, quand la pièce était vide, pour m'en aller découvrir sur le tableau d'affichage syndical les dernières récriminations contre « l'administration » que le délégué du SGEN avait placardées à mon intention. Il existait, en fait, deux salles des profs, au Banlay : celle du CET et celle du lycée. On ne se mélangeait pas entre espèces supérieures et inférieures ! Seuls deux couples avaient eu le courage de braver l'interdit et s'étaient épousés par-delà les frontières. Mme L., par exemple, était professeur de collège et enseignait au CET, et M. L. était titulaire de la TG2 [2] et exerçait aussi comme comptable à l'extérieur. C'était fort audacieux...

Le pouvoir, dans le domaine pédagogique, j'ai appris qu'on l'exerce par l'animation et non *via* des notes de service. Au CET, on lisait les notes de service émanant du chef d'établissement ; on se donnait la peine de les parcourir — je ne dis pas de les exécuter, ni de les apprendre par cœur. Les maîtres du lycée, eux, n'y jetaient pas même un œil. J'ai compris peu à peu que l'unique mode de communication, ce sont les assemblées générales — à condition de ne pas en abuser — c'est de réunir les gens sur des thèmes précis et

1. Brevets de technicien supérieur : qualifications de bon niveau qui s'obtiennent après le baccalauréat.
2. TG2 : Terminale baccalauréat de technicien comptabilité.

d'encourager les initiatives individuelles. C'est un pouvoir réel, mais ce n'est pas un pouvoir direct, un pouvoir de décision. Un proviseur lucide ne se réveille pas un beau matin en songeant soudain : « Dans les classes de G, il faut faire des groupes de niveau en anglais, je vais réunir les profs concernés et le leur annoncer. » La bonne démarche, le discours adéquat serait plutôt : « Et si l'on essayait les groupes de niveau pour les G ? Peut-être que l'année prochaine on pourrait tenter la chose... Cela aura fatalement des répercussions sur l'emploi du temps, cela va un peu vous compliquer la vie, mais on obtiendrait peut-être des résultats intéressants, vous auriez des groupes plus homogènes... »

Dans le domaine de l'animation pédagogique, il faut jouer sur le temps, essayer aussi de ne pas diviser pour régner, de ne pas présenter les enseignants qui pratiquent l'innovation, qui font de la recherche, qui consacrent du temps aux élèves comme l'envers des autres trop vite qualifiés de lamentables (ils ne sont généralement pas lamentables, mais empêtrés dans diverses difficultés de santé, de discipline). Essayer de ne pas diviser le corps professoral, mais accueillir toutes, absolument toutes les bonnes volontés. Je pense ainsi aux voyages scolaires que nous organisions pour les sections B et G. C'était incroyable de constater combien des enseignants chargés de famille s'acharnaient à dégager deux jours, trois jours, malgré les obstacles personnels. Et pourtant, il n'était pas rare de découvrir que, dès avant le départ du car, sur 50 gosses, 20 étaient déjà pompettes !

La majorité à 18 ans fut un épisode aussi considérable dans ma vie de proviseur que les fenêtres assassines — sur un autre registre. Cette loi nouvelle faisait éclater toutes les contradictions de l'institution. On s'est battu, au conseil des élèves, pour établir un règlement intérieur qui prenne en compte la majorité et qui accorde des privilèges aux majeurs, y compris quand ces derniers étaient dans des classes de mineurs. Certaines situations étaient faciles : les élèves de BTS, les élèves de terminale G étaient pratiquement tous majeurs. On pouvait donc, s'agissant des rares individus qui n'avaient que dix-sept ans en terminale, leur accorder une sorte de prime à la précocité, en les assimilant aux majeurs dans le règlement intérieur. Mais il y avait tous les « vieux » qui traînaient dans des classes où les autres avaient quatorze-quinze ans, en particulier au CET. Les internes se disaient : puisque je suis majeur, puisque j'ai le droit de voter, j'assume aussi la responsabilité de mes sorties. L'un d'entre eux m'avait écrit : « Madame le proviseur, je m'autorise à quitter le lycée ce soir à 16 heures, bien que j'aie cours jusqu'à 17 heures, mais pour des raisons personnelles je dois m'absenter et je vous dégage, madame, de toute la responsabilité de ma personne. » Nous avons multiplié les réunions jusqu'à ce que des compromis raisonnables interviennent.

Au début de ma carrière, je ne maîtrisais pas assez les démarches administratives pour apprécier l'étendue de la marge de manœuvre — et elle est réelle — concernant les structures d'établissement. Durant une longue période d'observation, il vaut mieux n'exercer aucun pouvoir qu'exercer ce pouvoir sans idée d'ensemble, c'est-à-dire au détriment de la maison. Il faut faire très attention, dans ce métier, à ne pas coudre des pièces neuves sur un tissu usé, parce qu'il en résulte fatalement une multitude de trous. On a chacun ses obsessions en matière pédagogique, en matière de vie scolaire. L'hygiène, par exemple, était une de mes obsessions. Comme le foyer socio-éducatif. J'ai forcé la dose, sur ce dernier point : quand un trafic de drogue a été découvert au lycée du Banlay, je peux dire que je l'avais involontairement organisé, que j'avais réuni les conditions nécessaires — musique adéquate, invitation d'élèves extérieurs au lycée, concentration de populations impossibles à contrôler, lumière tamisée... Tout ce qui incite à sniffer joyeusement et en musique. Et je n'avais rien vu venir !

J'avais la passion du « socio-éducatif », mais je ne me préoccupais pas de savoir si cela esquintait complètement les pions, si cela me mettait une, deux ou trois conseillères d'éducation à dos. Vous partez, vous avancez et tout à coup vous vous retournez, vous êtes un général sans armée et vous vous rendez compte que vous avez introduit une activité aberrante dont les effets sont assez catastrophiques sur les autres. C'est vrai aussi pour la pédagogie. Pas de doute : ce travail, c'est un travail d'apprenti sorcier.

Et l'échafaudage administratif n'offre guère de refuge consolateur : les procédures budgétaires, les décisions modificatives, j'ai eu beaucoup de mal à comprendre d'où ça venait, où ça allait, ce qu'il fallait demander au conseil d'administration. Effrayantes, les lourdeurs dans le domaine budgétaire ; effrayant, le vote du budget, ce budget qui, lorsqu'il est refusé, vous est imposé quelque quinze jours après ; effrayante, la ventilation par chapitre budgétaire, l'impossibilité de déplacer un crédit sur un autre chapitre sauf si... Plus les demandes de subventions exceptionnelles avec tout ce que cela représentait de dossiers, de courses, de sièges dans les bureaux. Et les nominations de maîtres auxiliaires, les nominations de surveillants, la nécessité de foncer à Dijon pour décrocher tel maître sur tel poste. J'ai constaté combien la gestion artisanale engendre la magouille : si vous savez vous introduire dans certains bureaux du rectorat, si vous savez ne pas frapper trop haut, viser les niveaux intermédiaires, là où les gens ne changent pas, si vous savez contourner les chefs et séduire les quelques personnes de rang second qui font la pluie et le beau temps, alors la puissance et la gloire vous appartiennent.

Je crois d'ailleurs ne pas m'y être encore adaptée. Cette espèce de mendicité pour gratter des moyens matériels, financiers, en personnel, à laquelle vous devez vous livrer, c'est presque de la prostitution. Pour obtenir des heures supplémentaires, il faut se rouler par terre. Les vraies nécessités de l'enseignement ne sont jamais un argument recevable. D'abord, on vous suspecte toujours de demander bien plus qu'il ne vous faut ; ensuite, on vous regarde comme si vous réclamiez des heures et de l'argent pour votre service personnel, comme si une subvention était destinée à votre portefeuille.

Vous avez une classe de 45 germanistes et une autre où ils sont 55. Vous faites trois groupes de langue. Objectivement, vous avez besoin des heures, les gosses existent, vous pouvez même les montrer. Eh bien, on vous soupçonne d'abord de les inventer, on parle d'élèves fantômes, même à l'époque de l'informatisation, et il faut presque que vous menaciez de donner votre démission pour décrocher vos heures supplémentaires. L'humeur des chefs de bureau commande, vous remettez la vie de votre établissement entre les mains de quelqu'un qui va vouloir ou ne pas vouloir, cependant que les professeurs préparent une grève de soutien aux collègues dont les effectifs sont pléthoriques, que les parents d'élèves vous traitent de minus, et disent que ça ne va pas continuer comme ça.

Quand, ô merveille ! on vous les accorde, vos heures, reste à visiter un autre bureau afin de trouver quelqu'un pour les assurer. L'aller et retour entre les deux bureaux devient grandiose. L'un vous dit : « Je vous crée les heures s'il y a quelqu'un pour les faire. » L'autre enchaîne : « Tant que vos heures ne sont pas créées, comment voulez-vous que je vous donne quelqu'un pour les faire ? Remontez voir Mme Machin. » Et puis, de temps en temps, il se trouve quelqu'un qui se penche sur votre cas, qui vous aime bien pour une raison ou pour une autre, ou qui a eu son neveu chez vous, qui, que... Par exemple, si vous arrivez à fréquenter le secrétaire général du rectorat, vous arrangez vos affaires parce que vous parvenez à un niveau où l'on vous reçoit par amitié, où l'on sait harmoniser les décisions.

Le bonheur ! A Paris, au rectorat, j'ai rencontré une fois un fonctionnaire de niveau relativement élevé qui a accepté que je justifie mes demandes et qui, lorsque j'ai eu justifié ces demandes en prouvant les économies que j'avais réalisées, en énumérant les raisons pour lesquelles j'étais obligée de solliciter telle rallonge, m'a accordé dans la minute ce que je réclamais parce que j'avais pu en exposer les raisons pédagogiques impératives, assorties du souci que j'avais de gérer au mieux mon contingent horaire. Ce fait est unique dans toute ma carrière.

Reste que — peut-être cela paraîtra-t-il stupide et narcissique — j'allais beaucoup mieux au Banlay que quand j'étais professeur. Je n'étais pas fatiguée, alors qu'enseigner m'épuisait. Mais je n'étais pas et je ne suis jamais saturée du métier de proviseur. Jamais. Peut-être un quart d'heure en début de journée. Le matin, vers 8 heures, je rumine : « Dire qu'ils vont toujours avoir le nez au milieu de la figure, toujours au même endroit, que je vais les revoir... » Et cela ne dure pas au-delà du moment où j'ai rencontré le premier élève. Un élève qui n'est pas mon élève en classe, qui n'est pas un élève auquel je dois apprendre l'anglais, un élève qui vit dans ma maison. Je ressens vraiment le lycée comme ma maison, avec un vif sentiment de propriété, de pouvoir territorial. Quand on entre dans ma maison, on pénètre sur mon terrain. On n'est pas à moi pour autant, mais chez moi. C'est ce qu'André De Peretti appellerait « le plaisir de fonctionner ».

J'aurais tendance à penser qu'on évalue son action par les alliances qu'on noue, par le fait que les gens ne vous accordent leur collaboration que si vous remplissez certaines conditions à l'intérieur de l'établissement. A l'extérieur, s'instituent différents moyens d'évaluation : les réputations, celle de l'établissement, celle du chef d'établissement, plus la notation de la hiérarchie. En réalité, la vérité sort de la bouche des élèves ; s'ils sont malheureux ou heureux dans l'établissement, ils le savent bien. S'ils réussissent ou ne réussissent pas, c'est une autre affaire. L'évaluation sérieuse n'est pas l'enregistrement des résultats mais l'appréciation des résultats obtenus selon les moyens dont on dispose et la situation donnée. Je me suis retrouvée, du jour au lendemain, selon les critères de la presse et des parents d'élèves, presque mauvais proviseur, enfin très médiocre si l'on regarde les résultats du Banlay, puis excellent proviseur dès lors que j'ai été nommée à Fénelon. Or il me semble qu'on réussissait plus de choses étonnantes au Banlay qu'à Paris.

Je suis parvenue à me faire entendre des élèves au point qu'un chahut, une bagarre, un mouvement de foule aussitôt s'arrêtent ; que des délégués viennent discuter, argumenter, poser des conditions et que, de cette négociation avec l'équipe administrative, sorte une relative harmonie. J'ai pu dire à 1 600 élèves lors de l'affaire des fenêtres : « Dans dix minutes, vous êtes dans vos classes et vous vous tenez tranquilles. Je vous le demande, mais je vous promets qu'on discutera, que vous n'aurez pas à travailler dans des conditions dangereuses... » Voir le mot d'ordre circuler, la confiance se révéler suffisante pour que mon langage soit entendu et ma promesse de négociation un gage collectivement admis, tel fut et reste à mes yeux le meilleur critère de la réussite.

J'ai connu, dans cette phase de formation, quelques moments extraordinaires : un élève d'un établissement technique s'était suicidé, laissant une très longue lettre dont il demandait qu'elle soit lue à tous les élèves de toutes les institutions scolaires de la ville — une sorte de testament spirituel. La lettre était assez belle, d'ailleurs. Mais elle soulevait un réel problème. Ce garçon énonçait les raisons pour lesquelles il allait s'en aller, les raisons de son désespoir ; il déclarait à ses camarades qu'il leur souhaitait, un jour, de changer les choses mais que lui-même avait éprouvé tant de déceptions qu'il préférait abandonner. Il s'était réellement suicidé, il n'avait pas fait semblant et j'ai considéré son message comme — selon le mot d'aujourd'hui — « incontournable ». J'ai réuni tout le CET et tout le lycée sur le terre-plein, j'ai pris le micro et je leur ai lu la lettre. J'ai demandé aux élèves de l'écouter attentivement, de respecter le souhait de leur camarade mort, puis d'observer une minute de silence avant de regagner les classes et de reprendre les cours. J'ai ajouté que, s'ils voulaient qu'on parle de ce garçon, ou du problème du suicide des jeunes, j'inviterais des gens avec lesquels nous étions en relation dans les sections sanitaires et sociales, notamment deux médecins psychiatres.

A la demande de plusieurs élèves, du CET surtout, le débat s'est tenu. C'était une gageure. Plusieurs collègues de l'équipe de direction m'ont mise en garde : « Le suicide est parfois un phénomène collectif, vous risquez de déclencher des réactions en chaîne. » Les professeurs étaient plus partagés. Il n'est personne pour qui le suicide ne soit une affaire douloureuse, intime. Et il n'est pas d'enseignant, d'éducateur qu'un tel drame laisse serein, objectif. Pourtant, cette leçon-là fut particulièrement profitable. Même — ou peut-être surtout — en pareilles circonstances, ma période initiatique m'a révélé qu'il n'est pas déraisonnable de nouer avec une foule des liens de réelle confiance.

Vite, au demeurant, ce pacte collectif a produit des confidences individuelles. Je recevais ceux des élèves qui étaient en vraie difficulté, en cavale, en fugue, tentés par le suicide, etc. Je les voyais beaucoup, avec l'assistante sociale, ou après l'intervention de cette dernière. Il s'agissait fréquemment d'internes, saisis par la panique, le désespoir, plus dans leur vie propre que dans leur cursus scolaire. Dirigeant à la fois un lycée polyvalent et un CET, je me bagarrais pour qu'ils atteignent, à tout le moins, un niveau de fin d'études. Souvent, principalement en CET, c'était eux qui nous quittaient. Nous expédiions lettre sur lettre, jusqu'au pli recommandé et nous recevions en écho : a eu seize ans le 12 février. Le 13 février, il n'y avait plus de client ! Mais je ne les renvoyais pas, je me les gardais le plus longtemps possible, j'essayais de contenir la tendance à l'évaporation.

Quant aux familles, je les rencontrais le jour du marché à Nevers, soit dans la rue, soit au bureau — où les « parents » débarquaient à cinq ou six. Les Nivernais se déplacent en corps constitué ; la grand-mère venait aussi, avec le petit frère et le chien. La conversation se terminait toujours par : « Ben, madame le proviseur, je compte sur vous pour me le moraler, mon gamin, vous allez me le moraler. » Les mères venaient se plaindre du comportement de leur progéniture à la maison et espéraient que l'école, elle, lui dispenserait quelques principes, quelques sentences. On évoquait fort peu les problèmes d'orientation. Peut-être cette rubrique était-elle moins angoissante, moins cruciale à cette époque que par la suite. Ce qui est certain, c'est que l'éventail des classes dont je disposais alors me permettait de garder presque tous les élèves, de ne pas muer (comme à Fénelon) l'orientation en exclusion. Si bien que les élèves ne « craquaient » pas sur le plan scolaire. Ils butaient sur des problèmes de vie affective, de vie matérielle, de relations avec leurs familles, de désespoir sentimental, mais non sur le sentiment d'un échec scolaire absolu. Et cela encore, c'était une forme de réussite...

En 1977 — j'étais proviseur depuis quatre ans — ont paru les premiers textes créant la fonction d'« inspecteur pédagogique régional à mission vie scolaire ». Je courais tous les stages. J'aimais la vie scolaire. Les inspecteurs généraux me connaissaient tant ils m'avaient vue plancher. Si bien que Mme Fortunel, doyenne de l'inspection générale vie scolaire, m'a téléphoné à Nevers en me proposant de solliciter cette charge. J'ai répondu favorablement (c'était plutôt flatteur) et me suis engagée à faire acte de candidature lorsque les textes sortiraient au *BO*. Mais quand je les ai lus, ces textes officiels, j'ai découvert que la fonction était mal définie, qu'il fallait postuler pour plusieurs académies, que je devrais naviguer entre divers recteurs, sans compter un inspecteur général vie scolaire, un proviseur vie scolaire, une cellule vie scolaire au rectorat, et je me suis totalement rétractée. J'ai écrit à Mme Fortunel une lettre qui, du point de vue administratif, était assez délirante mais, du point de vue humain, courageuse. Je lui disais : « Vous m'avez vue, dans des stages, évoquer des mini-cas, lesquels sont les fruits d'un arbre que vous vous apprêtez à priver de ses racines. Or, quand je n'aurai plus de racines, je ne serai plus rien. Je ne suis intelligente que parce que j'ai un lycée, et un terroir, et un territoire. Veuillez, Madame l'inspectrice générale, ne pas compter sur moi. »

Cette lettre achevée, j'étais certaine de rempiler pour dix ans au Banlay. J'y occupais un appartement au rez-de-chaussée qui était moins confortable que celui qui m'était normalement dévolu, au premier étage. J'ai fait repeindre et aménager le logement du premier à mon goût avec, même, des radiateurs framboise.

Deux ans auparavant, j'avais reçu longuement une inspectrice, Mme Déjean, qui menait une « enquête vie scolaire ». Elle a passé la journée entière à m'interroger sur mon bahut. La période était douloureuse : le censeur du CET souffrait d'une tumeur au cerveau et commettait des blagues absolument énormes ; il signait à tire-larigot des permissions aux internes qui en profitaient pour se promener en ville fort abusivement. J'ai raconté tout cela et le reste à Mme Déjean et elle est revenue quelques jours plus tard. Naturellement, dans ces cas-là, on ne sait jamais ce que les gens pensent de vous. J'avais seulement observé que, lors d'un stage à Dijon auquel nous participions toutes deux, elle avait souhaité se trouver « dans le groupe du proviseur du Banlay de Nevers » *(sic)*. J'avais jugé le geste bien aimable de la part de Mme l'inspectrice générale ; nous avions des points communs, elle était angliciste... Mais, outre son opinion sur ma personne, j'ignorais qu'elle était ancienne élève du lycée Fénelon et qu'elle suivait de près le sort de cet établissement. C'est elle, je pense, qui a suggéré à Mme Fortunel, après que j'eus refusé un poste d'inspecteur, de me proposer le lycée Fénelon, en 1978, alors que ce dernier, en pleine bataille électorale, se trouvait soudainement privé de proviseur à la Toussaint.

Le censeur de Fénelon était en congé de maladie pour au moins six mois, ce que la directrice n'avait appris qu'à la rentrée 1977. Elle avait l'âge de la retraite, traversait de graves difficultés familiales et commençait à être fatiguée par le métier. Accomplir la tâche de deux personnes quand on peut percevoir 80 % de son salaire sans travailler, c'est un étrange marché. Elle a donc demandé sa retraite à la Toussaint. Et Mme Fortunel m'a téléphoné pour me dire : « Le lycée Fénelon va être vacant, nous souhaiterions que vous le preniez. »

La première chose qui a surgi dans mon esprit est que je n'avais vraiment pas de chance : je venais tout juste de commander 50 kilos de pommes de terre ! J'avais foncièrement assimilé la mentalité nivernaise... Comme j'avais déjà expédié une dissertation à mon interlocutrice sur la vitalité des arbres, j'ai eu la sagesse de lui taire ma préoccupation immédiate. Il fallait que je réponde dans les heures à suivre. Alors, je me suis dit : un lycée à classes préparatoires et au quartier Latin, ça ne se refuse pas. Je n'avais guère envisagé une nomination à Paris. Mon ambition secrète était de retrouver le lycée Pasteur de Besançon où j'avais été si heureuse.

Je ne l'avais jamais vu, le lycée Fénelon. Moi qui avais été une khâgneuse fort paisible en province, je me rappelais que beaucoup de fontenaysiennes ou de sévriennes en provenaient mais, plus que le prestige attaché à ces résultats, je conservais en mémoire maintes histoires sur l'esprit de concurrence qui régnait là-bas, sur la difficulté de vivre dans ce lycée, sur la rumeur selon laquelle les préparationnaires arrachaient des pages dans les livres, pour que les autres n'y aient pas accès. Tout le contraire d'un paradis scolaire. Non, ce n'est pas la réputation du lieu qui a emporté ma décision, c'est l'attrait de Paris et mon attachement aux classes préparatoires.

J'ai fait acte de candidature, ne mesurant pas du tout que cinquante et une autres personnes agissaient de même. Je pense, mais cela reste très mystérieux, que j'étais un *outsider* dont on avait besoin pour départager des concurrents innombrables dans une période politique difficile. Importer quelqu'un de province, quelqu'un qui ne connaissait pas toutes les histoires et toute l'histoire de Fénelon, c'était sans doute une suprême astuce. Mme Fortunel m'a seulement dit, plus tard : « Un jour, quand je serai bien vieille, je vous expliquerai comment ct pourquoi vous étiez la candidate en haut lieu. » Les choses ont traîné jusqu'en janvier. Le téléphone a sonné dans mon bureau de Nevers : demain matin, M. Léoutre, conseiller technique du ministre, vous attend ; il faut absolument que vous vous libériez. Le lendemain matin, j'étais au garde-à-vous devant M. Léoutre qui s'est aimablement placé à ma portée. Il m'a parlé du Nivernais, qui était bien vert et du quartier Latin, qui ne l'était guère ; nous avons devisé moutons, élevage, beauté du Morvan et je crois que, sauf si je m'étais emmêlé les pieds dans le tapis de M. Léoutre et si j'étais arrivée à l'horizontale plutôt qu'à la verticale, les dés étaient préalablement jetés.

4. Le grand monde

Où madame le proviseur
explore la banquise en sabots

Financièrement, perdre mon gros lycée du Banlay et son secteur de formation continue était une opération désastreuse. J'ai très vite vérifié que vider sa poubelle au lycée Fénelon était un luxe rare ; les ordures ménagères me coûtaient en impôts 52 francs à Nevers et j'en avais, dans la capitale, pour 1 100 francs. J'ai affronté cette situation nouvelle sans amertume, tant j'ai dû vite apprendre que vider sa poubelle à Fénelon, ça n'a pas de prix.

Il n'était pas question de déménager avant les vacances de Pâques. Je ne pouvais pas prendre en charge un lycée, assurer la transition dans l'autre et m'occuper de questions matérielles. Je me suis psychologiquement préparée à de multiples navettes et ai appelé Paris pour annoncer mon arrivée. C'était une conseillère principale d'éducation qui remplaçait à la fois le censeur et le proviseur. Épuisée, elle serait presque venue me chercher à Nevers tant elle était soulagée.

Me voici donc devant ce bâtiment noir surmonté d'un drapeau (on n'avait pas de drapeau, à Nevers, cela ne se faisait pas). J'entre. Et un professeur de classe préparatoire au profil extraordinaire, avec en guise de sac de classe une espèce de musette, m'apostrophe : « Ah ! vous êtes le nouveau proviseur. Eh bien, c'est de bon augure. Je ne rate jamais l'arrivée des directrices de la maison. Cela doit être un signe de longévité parce que celle qui vient de partir est restée dix-sept ans. » Plutôt gentille, cette dame qui s'annonce : « Colette C., Ulm, telle année. » (Les gens, à Fénelon, précisent souvent leur promotion d'École.) Je n'ai pas cru, sur le coup, prononcer une déclaration historique. J'ai dit : « Est-ce que je peux laisser mon sac à la loge ? Vous savez, il n'y a dedans qu'une chemise de nuit et une brosse à dents. » La concierge a hébergé mon bagage aussitôt.

Mais Mme C., d'après cette seule scène, a couronné mon installation d'une rumeur flatteuse. Premièrement, j'avais frappé à la loge avant d'y pénétrer (je ne songerais toujours pas à y entrer sans frapper) ; ensuite, j'avais précisé que mon sac ne contenait rien de précieux — elle jugeait cela plutôt sympathique et extravagant chez un proviseur de bon standing. Quand j'ai rencontré mon prédécesseur, j'ai compris que les familiarités de langage étaient susceptibles de beaucoup heurter en ces lieux et pas seulement les normaliennes. La concierge elle-même s'est, me semble-t-il, quelque peu offusquée. En tout cas, insouciante de semblables émois, j'ai entamé le tour du propriétaire.

Après le lycée du Banlay, ses cubes répandus, son dédale de chemins, ses arbustes maigrichons, j'ai brutalement retrouvé les images, les odeurs de mes années d'élève, dans une version plus grave, parisienne. Le bâtiment, à l'extérieur, était horrible, noir. Mais, merveille, il était petit et il avait une porte. C'était magnifique que ce lycée ait une porte, une porte qu'on ouvre et qu'on ferme, la porte d'une vraie maison, d'un monde humain. Le lycée du Banlay était cerné d'une sorte de clôture, avec quantité d'issues impossibles à contrôler.

En revanche, la visite guidée sous la houlette de la conseillère d'éducation a ranimé mes appréhensions. L'appartement de fonction, immense et noir, était quasi inhabitable. Le bureau directorial, lui, conservait quelque allure, mais n'offrait aucun moyen d'asseoir ses collaborateurs à la même hauteur que soi. Il contenait essentiellement une machine à hacher les papiers, à les broyer...

L'intendante m'a dit de faire très attention, que cet établissement était bizarre, hanté — ce qui n'aurait rien d'étonnant puisqu'il est construit sur un cimetière. « On a, précisait-elle, juste en dessous, les ossements des Augustins. Et c'est là qu'on voudrait creuser deux étages en sous-sol ! » J'ai cru qu'elle plaisantait, répondu qu'une angliciste est familière des spectres. Mais elle insistait : « J'ai été moi-même obligée de faire poser plusieurs verrous, à mes frais, sur la porte de mon appartement. » Obstinée, j'ai aggravé mon cas en soutenant que les fantômes se promenaient très bien à travers les trous de serrure. Je n'ai su qu'ensuite qu'elle avait réellement peur. Mais c'était une agréable maîtresse de maison, elle s'exprimait fort bien ; et elle m'a tout de suite parlé de rénover mon appartement. Bonne impression, donc.

La conseillère principale d'éducation, elle, racontait combien elle en avait marre, mais marre des profs, lesquels étaient très durs, très pénibles, rétifs à toute autorité, que Mme F. était toujours malade, que mon prédécesseur, avant de prendre sa retraite, avait dû fréquemment s'arrêter, que la maison partait à la dérive, que ses collègues conseillères principales d'éducation, au nombre de deux, ne l'écoutaient guère, que... Ouf ! elle ne demandait qu'à me transmettre tous les pouvoirs. A 19 h 30, au milieu de notre conversation, une sonnerie s'est déclenchée. Mon interlocutrice m'a expliqué qu'elle sonnait la fin des « colles » (des oraux de contrôle propres aux préparationnaires) et donc que la maison allait se vider complètement. Moi qui débarquais d'un internat où il se passait encore un peu plus de choses la nuit que le jour, la perspective de sortir impunément dans le quartier Latin après 19 h 30, de visiter magasins, librairies, cinémas sans mauvaise conscience, de savoir que, à partir de 19 h 30, si la maison flambait, l'incendie ne menaçait pas la vie des élèves, cela m'a semblé un cadeau plus somptueux que toutes les promotions de la terre.

Le lendemain, nous avons tenu notre première réunion d'équipe. J'ai réuni les conseillères principales d'éducation, l'intendante, pour faire connaissance, pour parler, pour qu'elles me parlent aussi. A peine étions-nous assemblées qu'une secrétaire est entrée avec bloc, papier, crayon. Les secrétaires — je les avais entrevues — me paraissaient des dames extrêmement parisiennes, distinguées, très BCBG, et non point des êtres que j'étais susceptible de commander. Elles semblaient être infiniment plus installées dans la vie et dans la société que moi-même. Je me suis sentie très « plouc ». D'autant que j'avais aperçu un huissier dans l'antichambre, une dame en blouse, préposée au service de Mme le proviseur, qui apportait les billets quand se présentait une demande de rendez-vous. Cela aussi m'avait beaucoup intimidée.

Soudain, durant la réunion, a donc surgi une secrétaire avec son bloc et son crayon, très fébrile :

— Madame le proviseur, vous m'avez appelée.

— Non, madame, je ne vous ai pas convoquée.

— Si, madame le proviseur, vous m'avez appelée.

Une conseillère principale d'éducation éclaire ma lanterne :

— C'est avec votre genou que vous lui avez demandé de venir.

Il y avait tout un jeu de sonnettes sous le bureau de Mme le proviseur, de manière à pouvoir discrètement mander des renforts. Les quatre secrétaires avaient leur code personnel et comptaient les coups. Suivant le nombre de coups de sonnette, elles savaient qui était convoqué au bureau du proviseur, chacune selon sa spécialité : pour les élèves Mme Merceron, pour les professeurs Mme Untel, etc. Dans la soirée même, les sonnettes étaient enlevées. L'idée d'avoir mon premier laquais, mon deuxième laquais, m'a terrorisée.

Les professeurs se sont ensuite manifestés comme des espèces hurlantes, dont les membres du personnel administratif avaient peur et craignaient que, mal informée, ou téméraire, je n'aille à leur rencontre. J'avais l'impression qu'ils voulaient me protéger et m'empêcher de courir des risques inouïs. Je n'avais jamais conçu que côtoyer des professeurs se révélât dangereux. Mais il est vrai que les maîtres des classes préparatoires, surtout, se sont d'abord exprimés par des cris. J'ai entendu un jour hurler dans l'antichambre. Une « journée du maire » avait été prévue, une circulaire affichée en ce sens et, je ne sais par quelle anicroche rectorale, la date en avait été reportée. Or un professeur de mathématiques, apparemment plongé dans un état second, hurlait à la vue de la deuxième circulaire, parce qu'elle avait prévu un voyage et qu'elle avait déjà réservé ses places de train. Je suis sortie en demandant ce qui nous valait ces décibels élevés. Elle s'est expliquée. Je lui ai dit de se calmer, que de toute façon elle partirait à la date convenue puisqu'elle n'était pour rien dans cette erreur, qu'on déplacerait son cours ou qu'elle en serait exceptionnellement dispensée. Elle n'en revenait pas et a mis un certain temps à se calmer.

La deuxième « hurlante » fut cette Mme C. qui m'avait si gentiment accueillie à mon arrivée. Un « carrefour des carrières » était organisé par les associations de parents d'élèves et les services de l'orientation. Il se tenait au premier étage, non loin de la documentation, ce qui contraignait certains enseignants à changer de salle ce jour-là. Et Mme C. hurlait qu'elle refusait de déménager, car elle ne trouverait pas à l'annexe son chiffon spécial, son tableau spécial et sa craie spéciale pour le tableau spécial, bref qu'elle ne pouvait travailler qu'en salle 14 et n'émigrerait point. Les secrétaires m'ont avertie : « N'y allez pas, madame le proviseur, n'y allez pas ! » J'y suis allée. J'ai dit : « Madame, nous accueillons des gens de l'extérieur, vous en avez été prévenue, vous aviez un billet dans votre casier, nous n'allons pas nous disputer devant les élèves ; dans la mesure où ce sont des gens de l'extérieur que nous accueillons, nous demandons un certain sacrifice à ceux de l'intérieur ; vous avez eu tout le temps de vous y préparer, et ne gueulez pas, parce que s'il s'agit de faire un concours de gueulante je suis sûre de gagner ! »

Le calme s'est immédiatement rétabli. Mais l'épisode a

été perçu dans la chronique de Fénelon comme un acte d'héroïsme tel que l'assistante sociale et la secrétaire ont couru à Maisons-Laffitte, où était hospitalisé le censeur, afin de lui rapporter mon exploit : j'avais, par anticipation, empêché Mme C. de gueuler. Je dois dire, d'ailleurs, que, cinq ans après, j'aurais peut-être agi différemment. Mais, à Nevers, les profs ne me mangeaient pas.

Troisième acte : l'amicale des professeurs du lycée a très aimablement proposé de donner un apéritif pour fêter mon arrivée. Nous nous sommes retrouvés au réfectoire, décoré de fresques d'époque, aussi désuètes que l'établissement, avec des petites filles qui farandolent agréablement sur les murs. Apercevant enfin le gros du corps professoral, ma première pensée fut : « Mais, mon Dieu, ils vont tous partir à la retraite avant moi ! » Une troupe âgée, digne, solennelle, compassée et composée. J'ai, paraît-il, prononcé un discours du genre : « On va voir ce qu'on va voir, je viens ici pour faire telle chose, pour faire telle chose, pour faire telle chose, et je le ferai, et vous aurez affaire à moi. Les professeurs sont un État dans l'État à Fénelon, je m'en suis déjà aperçue, cela ne marchera pas comme ça. J'ai choisi ce métier parce que je l'aime, et j'entends l'exercer ici. Même si l'administration ne vous paraît pas devoir exister, elle existera. »

Je me suis vite aperçue que les professeurs avaient « des noms », que leurs conjoints étaient inspecteurs généraux ou inspecteurs régionaux, ou professeurs de taupe et qu'il valait mieux que je sache que tel nom signifiait telle chose, et que mon *Who's who* soit mis à jour. J'ai également vérifié que l'attitude de Mme C., la première fois, n'était pas exceptionnelle : on annonçait sa promotion d'entrée dans une École normale supérieure lors des présentations. Certains professeurs se déclaraient même « professeur chaire supérieure premier chevron », ce qui échappait à mon entendement provincial. Les professeurs de classes préparatoires donnent le ton à la maison, et le second cycle, ce sont les obscurs. « Premier chevron », cela désigne un enseignant qui a franchi plusieurs stades, accumulé beaucoup d'ancienneté, est ancien élève d'École normale supérieure et tient à rappeler qu'il occupe la dignité la plus élevée dans le grade le plus élevé de l'enseignement secondaire en France.

J'ai eu l'impression d'être guettée par un groupe extrêmement parisien, extrêmement intellectuel, une élite mondaine et sociale dans laquelle j'arrivais avec mes sabots nivernais. Lors du pot d'accueil, beaucoup m'ont avoué qu'ils n'avaient jamais souffert de l'absence de proviseur ou de censeur jusque-là, et que le lycée marchait très bien sans administration. Les collègues, qui me connaissent bien maintenant, me disent que le discours que j'ai prononcé était un discours de défense, un plaidoyer *pro domo* où j'ai essayé, avec une manière de désespoir, de proclamer : je vous assure qu'un proviseur, c'est utile, je vous assure que j'agirai, et je vous assure que vous ne devriez pas pouvoir vous en passer. Ils venaient tout de même de s'en passer depuis la Toussaint, et nous étions le 31 janvier.

Chacun savait que j'étais fontenaysienne, possédait sur mon compte une fiche de renseignements très précise. Moi, je n'avais pas la même chance. Il convenait implicitement que je m'excuse d'être fontenaysienne et davantage encore angliciste — parce qu'on avait l'habitude d'avoir des chefs d'établissement, soit mathématiciennes, soit spécialistes de lettres classiques. Au cas où ces vérités amères m'auraient échappé, la doyenne de l'inspection générale de la vie scolaire, Mme Fortunel, m'avait fait un devoir de rendre diverses visites protocolaires : une (où elle m'a accompagnée, me présentant comme la cousine de province) au directeur des services académiques de l'Éducation nationale, M. Claudel ; une au recteur Mallet ; et une troisième au doyen de l'inspection générale, M. Faucon à l'époque. Auprès de ce dernier, elle m'avait explicitement recommandé de présenter mes excuses et mes dévotions, car il ne voulait pas pour Fénelon d'une fontenaysienne angliciste et jeune (j'avais quarante-trois ans).

J'ai demandé un rendez-vous à M. Faucon qui m'a accordé une entrevue, le soir, vers 19 h 15, dans son bureau de la rue de Grenelle. J'ai sagement énuméré mes handicaps, ce qui m'a valu cette réponse : « En effet, madame le proviseur, je ne souhaitais pas votre nomination au lycée Fénelon, mais Mme Fortunel qui la souhaitait l'a imposée, et j'en conclus que vous avez des qualités personnelles exceptionnelles pour l'avoir ainsi emporté malgré tant d'obstacles ; nous ne tarderons pas à nous en apercevoir. »

Chez le recteur Mallet, on venait de refaire la chancellerie, c'était très beau, *design* vert pâle, violet et blanc, décor étonnant au cœur de la Sorbonne ; il m'a reçue avec beaucoup de surprise, me disant : « Je n'ai pas été informé de votre nomination. Il fut un temps où non seulement on informait les recteurs de l'académie de Paris des nominations dans les grands lycées mais où on les consultait. Je n'ai rien, madame, contre vous, mais j'avais à proposer à l'administration au moins dix candidatures probablement aussi valables que la vôtre. » Il n'était pas prévenu, il ne me connaissait pas mais il a tout de même ajouté : « On me dit que vous vous êtes fort bien entendue avec le président du Conseil général de la Nièvre, M. Mitterrand. Vous veillerez à vous entendre aussi bien avec le maire de Paris. » Suivit un petit discours sur l'intérêt qu'il y avait à nommer des femmes à la tête des établissements prestigieux, d'autant que seul un œil féminin savait construire un bouquet de fleurs. Vu la décrépitude de Fénelon, je voyais mal où situer mes bouquets de fleurs...

Ultime impression d'arrivée : la première semaine, les élèves me demandent si un candidat, professeur aux Beaux-Arts et conseiller d'arrondissement, pouvait venir leur parler des élections. Existait-il un foyer socio-éducatif ? Il en existait un. Je leur explique les règlements, leur donne une salle en précisant qu'ils doivent accepter la contradiction, que si une autre réunion d'une autre tendance est convoquée dans le lycée, il faudra qu'ils en tolèrent le déroulement dans les mêmes conditions. Il s'agissait d'élèves de classes préparatoires, très courtois. Si je me souviens bien, leur hôte était un membre du parti communiste. La réunion était prévue pour le lendemain.

A 2 heures de l'après-midi, ma secrétaire annonce : « Le cabinet du président de la République au téléphone pour le proviseur » :

— On me dit que vous vous apprêtez à tenir dans les locaux de votre établissement une réunion politique et que cette réunion est officielle puisqu'elle a lieu dans une salle qui s'appelle le parloir.

Je raconte mon histoire, règlement du foyer socio-éducatif à l'appui. La voix :

— A Paris, et en période de campagne électorale, toutes les réunions sont suspendues. C'est très grave.

Moi :

— Dans ce cas, je vais annuler et demander aux élèves de se réunir hors de l'établissement.

La voix :

— Le président de la République se préoccupe beaucoup de savoir si vous pourrez maîtriser vos élèves et être obéie sur ce point. Veuillez nous rendre compte dès que vous aurez exécuté l'ordre.

Je revois les élèves et leur dis : « Moi, je suis nouvelle dans la maison : apparemment, le règlement veut qu'il n'y ait même pas de réunions d'information. Je savais qu'il ne devait pas y avoir de débats dans les lycées, mais de réunions d'information, non... Je vous demande de ne pas tenir votre réunion dans la maison, vous me mettriez dans une situation difficile. » Réponse des élèves : « Permettez-vous qu'on se donne quand même rendez-vous ici, qu'on maintienne le lieu de rendez-vous, et puis on ira au premier étage du Cluny, ou ailleurs ? »

Je transmets l'information au cabinet du président de la République. Les élèves arrivent. Le professeur des Beaux-Arts commente tranquillement : « Ça ne m'étonne pas, j'ai déjà été viré de plusieurs lycées, donc c'est normal, votre proviseur n'est pas autorisé à me recevoir. Hop ! on s'en va au bistro, tous ensemble, et voilà. » Je rappelle l'Élysée pour signaler que la réunion est déplacée en un autre endroit. Et l'on m'adresse de vives félicitations pour avoir si bien maîtrisé la situation !

J'ai remercié mais j'ai songé au Banlay : pour un oui, pour un non, les gosses étaient 5 000 sur le terrain ; ici, ils étaient 14, des jeunes gens fort civilisés, s'exprimant bien, comprenant toutes les nuances des réponses qu'on leur donnait ; j'avais vraiment fait preuve d'une capacité à maîtriser mes troupes féneloniennes... Et le cabinet de l'Élysée se préoccupait des réunions de Fénelon, m'interrogeait sur le bon usage du parloir !

Il y avait fatalement des espions dans la place. J'ai su peu de temps après qu'il s'agissait d'une vieille adjointe d'enseignement de la maison, qui s'est confessée : « J'ai de l'estime pour vous, je trouve que votre manière de travailler n'est pas antipathique, et je viens donc vous dire que c'est moi qui suis à l'origine de l'incident qui, paraît-il, vous a beaucoup émue. Je suis une amie personnelle de Pierre Bas. Quand j'ai vu l'affiche annonçant la réunion, j'ai couru lui suggérer d'en faire autant, mais il m'a répondu que c'était interdit en ce moment. Il a alerté le cabinet de M. le président de la République. » Voilà d'où sortait l'affaire.

J'ai finalement compris que Fénelon incluait trois établissements en un. Les professeurs de l'enseignement secondaire étaient plus semblables à ceux que j'avais eus, moi, comme professeurs, qu'à ceux que j'avais rencontrés en tant que chef d'établissement à Nevers, parce que plus âgés, plus stables, traditionnels, enclins aux cours magistraux. Très dignes, assez distants par rapport aux élèves : un noyau de maîtres dont les attitudes évoquaient — en plus raide — une partie de mon univers connu. Dans le secteur préparationnaire, les professeurs de disciplines scientifiques manifestaient un individualisme total. Je m'étonnais :

— Je voudrais bien voir le relevé des absences dans telle classe de mathématiques spéciales...

— Ah ! impossible, les professeurs ne le donnent jamais.

— Ils ne le font pas, le relevé ?

— Si, mais...

... Mais le relevé des absences allait dans la poche du professeur de physique et le professeur de physique, quand il le jugeait utile, extrayait de sa poche les relevés d'absence pour les communiquer à l'administration. Et cela dans les seules situations extrêmes. En temps « normal », les enseignants réglaient les problèmes d'assiduité des élèves directement entre eux. Le professeur de dessin industriel remettait ses appels au professeur de physique. Et le professeur de mathématiques et le professeur de physique se concertaient sans témoins et décrétaient que tel élève qui avait séché trois fois le cours de dessin industriel ne serait plus admis au cours de mathématiques à partir du lundi. J'avoue que cette administration dans l'administration, en un total désordre, n'a guère tardé à m'exaspérer. Un samedi après-midi, j'étais dans mon appartement, où j'avais emménagé après Pâques. J'ai entendu une espèce de murmure, de prière, à l'étage au-dessous. Je regarde par la fenêtre, j'aperçois une quarantaine de potaches qui grattent. Ce jour-là, en principe, le lycée était fermé. Je dégringole l'escalier, je trouve une collègue professeur de physique, qui faisait son cours toutes portes fermées. Je l'appelle et m'enquiers de son initiative. Elle rattrapait des cours ou elle les prolongeait, je ne sais. Elle s'était arrangée avec un agent logé dans l'établissement qui, à une certaine heure, devait libérer les issues. J'ai jugé cela extraordinaire et ai questionné :

— Mais ont-ils déjeuné, au moins, ces gosses-là ?

Non, ils avaient enchaîné séance sur séance depuis midi.

Je suis montée sur mes grands chevaux, ai déclaré la chose impossible, inédite dans ma carrière. Mon interlocutrice pleurait toutes les larmes de son corps sur le palier, protestait de sa bonne foi :

— Madame le proviseur, la dernière chose que je voulais, c'était vous compliquer la vie. Mon Dieu ! Est-ce si lourd de conséquences ?

Personne ne lui avait jamais expliqué qu'elle ne pouvait pas s'approprier ainsi le lycée, au mépris de toute règle commune. Pourquoi pas le dimanche ? Le lundi de Pâques est férié, qu'à cela ne tienne : Mme O. demande une clef du lycée pour venir faire cours à ses « math spé ». Certains enseignants estimaient qu'on se garait mieux avant 8 heures qu'après 8 heures. Les cours commencent à 8 heures 15, certains professeurs font venir leurs élèves pour 8 heures. Une administration dans l'administration, une absolue désinvolture envers l'administration payée pour administrer, ou simplement une totale aptitude à en faire abstraction !

Dans le troisième secteur, celui des professeurs de disciplines littéraires en classes préparatoires de lettres, régnaient et règnent le psychodrame perpétuel, le *happening*, la fête — toute relation y est vécue sur un mode passionnel. Ces enseignantes, pour « leurs filles », sont des mères, des tuteurs. Et elles demeurent, entre elles, des camarades de promotion qui s'interpellent et se tutoient (contre toute attente, dans un univers aussi compassé). Des générations entières de sévriennes, parfois anciennes élèves de Fénelon, se retrouvent dans la même équipe de professeurs et y puisent un infini plaisir. L'art des mots. La jouissance d'exercer dans des conditions luxueuses, en particulier les professeurs d'options qui fonctionnent par petits groupes, qui sont « colleurs » de leurs propres élèves ou des élèves des voisins, qui donc savent sur les élèves énormément de choses et revivent, chaque année, le concours qu'elles ont naguère passé. Les programmes du concours sont aussi importants pour le professeur que pour l'élève. Les résultats plus encore.

Dans ces classes-là, présider un conseil de classe est très difficile, parce que prévalent la rhétorique, l'éloquence. Les vieilles querelles entre l'histoire et la philosophie, les rivalités symboliques s'énoncent, ressuscitent. Mais ce monde et son fonctionnement sont simultanément splendides. Un régal : en hypokhâgne et en khâgne, je ne serai jamais blasée ni saturée. Vous êtes guettée. On vous dit : « Qu'est-ce que vous avez inscrit sur le bulletin ? Ah ! Vous pourriez nuancer un peu. Et puis, il faut ajouter un encouragement. Voilà, c'est mieux, mais complétez encore un peu. Relisez-nous sa moyenne. Oui, oui, on peut mettre ça comme appréciation générale... » Un quartier sous très Haute Surveillance. Des professeurs qui se prennent terriblement au sérieux, mais qui maîtrisent leurs instruments de travail, d'évaluation, qui possèdent une connaissance des élèves exceptionnelle et vont au charbon pour l'entretenir. Une planète redoutable et merveilleuse.

L'idée ne me serait pas venue de pointer le nez en salle des profs, mais si je m'y étais aventurée, une délégation aurait immédiatement rectifié les frontières. Cela dit, les syndicats ne semblaient pas moins BCBG que le reste, ne jouant apparemment guère de rôle actif dans les conseils d'établissement d'alors. Les mandataires provenaient d'une liste unique, du style « intérêt du lycée », et restaient fort discrets. Les facteurs d'opposition ou de résistance étaient ailleurs et d'abord liés au fait que les professeurs de classes préparatoires n'ont à répondre en dernière analyse que devant leur inspecteur général, auquel ils doivent leur nomination. Le proviseur n'est qu'un rouage, un gratte-papier. Il faut qu'il crée lui-même sa fonction de toutes pièces. Il faut qu'il rende des services. Il faut qu'il tape sur la table, qu'il fasse terriblement peur, qu'il brandisse le spectre de la faute professionnelle. Certains professeurs partaient pour l'étranger sans demander aucune autorisation, disparaissaient entre les écrits et les oraux des concours sans laisser d'adresse, servaient de « colleurs » dans un autre établissement et inversement employaient à Fénelon « leurs » « colleurs » sans que le chef d'établissement fût informé et, moins encore, que son agrément fût sollicité. J'ai dû me battre pour exister.

Quant aux élèves, ce qui m'a d'emblée frappée, c'est leur habillement, leur « look », aux antipodes des gosses du Banlay. A mon arrivée, la mixité n'existait que dans les classes préparatoires. Mais, à ce niveau, la population des élèves est une population d'adultes. Non point d'adultes qui ne posent aucun problème ; il y a parmi eux des adultes fragiles, des adultes malades, des adultes en difficulté scolaire, en difficulté familiale, en difficulté personnelle, en difficulté financière — mais ce sont des adultes. Au « petit lycée », dans le second cycle où il fallait introduire la mixité, j'ai trouvé des filles sages et gentilles qui obéissaient de bon gré aux vieilles dames qui leur enseignaient le latin ou l'histoire. Des élèves polies, propres, riches (dans les classes préparatoires, c'était en revanche très mêlé), manifestant une complicité de langage immédiate, comprenant l'humour, sachant où s'arrêter, s'entretenant avec vous librement, de plain-pied, s'exprimant spontanément d'une manière à la fois libre et respectueuse. Beaucoup d'aisance.

Dès que j'ai trouvé le temps de respirer, j'ai considéré qu'il fallait très vite rendre ce second cycle mixte, d'abord parce que c'était réglementaire — aux yeux d'un administrateur, ce n'est pas négligeable — ensuite parce que je vivais dans un monde mixte à Nevers et que, pour le chef d'établissement, les garçons sont mille fois plus reposants. J'étais consternée de ne pas avoir de garçons dans ma maison.

Un garçon, ça attaque, si j'ose dire, par des voies simples. S'il est convoqué au bureau du proviseur, c'est en général parce qu'il a bu ou parce qu'il a été violent ; bref, pour un motif explicite qui lui vaut d'être traduit en justice. Il raconte son affaire et vous lui infligez un bonne engueulade. D'ordinaire, il vous épargne les larmes, ce qui est en soi une économie considérable (il est vrai que, s'il pleure, il déverse les sanglots de toute une promotion, et j'avoue n'avoir pas encore pris l'habitude de cet embarras). Reste que, normalement, le garçon fautif encaisse sa sanction et s'en va.

Les filles, elles, fabriquent tout un roman autour de l'événement. D'abord, elles ne sont pas appelées au bureau du proviseur pour quelque indiscipline sommaire et fruste. Le réquisitoire fourmille d'attendus, de paragraphes annexes. Et puis, elles consacrent le maximum de temps à vous embobiner par des tours invraisemblables. C'est très compliqué, les filles. Elles détiennent une fantastique batterie de techniques pour pleurer, pour supplier, pour dénoncer, pour passer à l'accusation du prof. Le garçon résume les choses très simplement, dit que le prof est nul et que, puisque le prof est nul, il manifeste violemment en balançant sa godasse sur le bureau — procédé répréhensible mais discours reposant. Plus, sans aucun doute, au regard du proviseur que des professeurs, puisque nombre de ces derniers continuent aujourd'hui à m'en vouloir d'avoir réalisé la mixité.

Il n'empêche. L'affaire me paraissait urgente. Je pensais et je pense toujours qu'une population mixte aborde mieux les conseils de classe, l'orientation après le bac, qu'elle est plus proche de la réalité, de la vérité sociale. Je n'en ai pas moins éveillé, outre les réticences des professeurs traditionnels, celles des parents qui pressentaient dans l'arrivée des garçons une menace contre le niveau — ce qui s'est d'ailleurs plus ou moins produit dans la mesure où, au quartier Latin, on nous vole nos « bonnes » filles et on nous refile les « mauvais » garçons ; c'est-à-dire que le lycée de garçons, Louis-le-Grand ou Henri-IV, accorde une promotion à nos très bonnes élèves et se débarrasse allégrement des potaches dont il ne veut plus en les repliant sur les lycées de filles. Le phénomène est moins marqué maintenant mais, dans les premières années de la mixité, ce fut un de mes soucis.

Comme naguère au Banlay, l'épouvante croissait donc. Une population de filles génère un volume sonore très inférieur à celui des classes mixtes. C'est sage, ça a peur et c'est sournois. Donc, c'est plus soumis à l'autorité. Les garçons font du bruit, ont des voix inimaginables. Je peux dire, sans l'aide de statistiques, trois jours après une rentrée, si l'on a plus ou moins de garçons que l'année dernière rien qu'en écoutant la rumeur de la cour de récréation. Et puis les garçons cassent, parce qu'ils sont plus grands que les filles et très mal à l'aise dans le mobilier scolaire, incapables de demeurer immobiles.

J'ai tenu bon. Le volume de décibels s'est élevé. La casse est apparue à Fénelon. Mais c'était là, je n'en démords pas, l'inévitable rançon d'un plus grand profit.

Cette « révolution » mise en marche, j'ai dû traiter au coup par coup — et cela continue, fatalement — les cas ponctuels d'enseignants en difficulté. Dans les classes préparatoires, je n'ai guère rencontré de collègues incompétents. Mais plutôt ceci : des professeurs déconcertés par les exigences et les caractéristiques d'une nouvelle population, ou fatigués, ou qui n'ont pas pris le temps ou vu la nécessité d'entreprendre un véritable recyclage, ou enfin qui ne se résignent pas à ce qu'ils appellent la « baisse de niveau ». Se développe alors entre eux et les classes une relation d'hostilité qui aboutit parfois à un complet rejet mutuel.

J'ai ainsi observé un professeur qui se débarrassait de son travail en lançant : « Les mathématiques, c'est un don, vous l'avez ou vous ne l'avez pas ; si vous l'avez, nous allons faire bon ménage et je vous mettrai de bonnes notes ; les exercices se trouvent page tant et le cours page tant, je sors fumer ma cigarette en salle des profs, je reviendrai tout à l'heure et nous regarderons à mon retour si vous avez des difficultés. »

Cette fuite-là n'est plus tolérée par les élèves et suscite des réclamations à la fois de ces derniers et de leurs parents. Il appartient à l'inspection générale de mettre le marché en main : ou vous pensez à votre retraite ou vous changez. Car c'est une clientèle, la clientèle des élèves de classes préparatoires, et le cours se vide.

Tout autre est la situation des gens débordés parce qu'ils sont usés et ne retrouvent pas dans les élèves actuels les disciples qu'ils avaient connus. Ou parce que, simplement, les élèves ne restent plus tranquilles. C'est un des grands griefs qu'expriment les professeurs anciens de classes préparatoires : « ils » bougent, « ils » ne bougeaient pas avant. J'ai suivi deux cas extrêmement douloureux de cette sorte. C'est très difficile, très cruel, en particulier pour des gens qui avaient du panache. En français, par exemple, un professeur a été systématiquement boycotté. Comme il s'agissait d'une agrégée de lettres classiques, nous avons trouvé le moyen de lui faire terminer sa carrière en grec où ne se présentaient pas les mêmes difficultés.

De vives douleurs, donc, mais non une incompétence en termes de savoir. Le vrai dilemme, lorsque j'ai découvert Fénelon, n'était certes pas là. C'était, chez maints enseignants de prépa, une impossibilité totale, volontaire ou involontaire, de prendre en compte l'existence d'un établissement. Le refus de se penser comme membre d'une communauté. Il faut dire qu'ils assurent huit heures de cours, soit deux demi-journées de présence ! Il n'est guère naturel de se penser membre d'une communauté quand on y séjourne deux demi-journées par semaine. Leur méfiance est quasi viscérale à l'égard de tout ce qui se veut équipe, travail partagé, concertation. Le labeur intellectuel est farouchement individuel : je n'ai de comptes à rendre à personne, je suis maître dans ma classe, j'organise mes cours, mes contrôles, comme je veux, je note comme je veux, quand je veux, autant que je veux, et je ne dis rien à personne, et je ne dois rien à personne. Puisque l'inspecteur général m'a fait confiance en me donnant cette classe, tant que je conserve des clients, je reste individualiste. Et le jour où j'ai moins de clients, je me souviens qu'il existe une administration dans la maison. C'est là une démarche fondamentalement orgueilleuse, un orgueil d'intellectuel : je suis chez moi, j'ai mes quatre murs et, à l'intérieur de ces quatre murs, il y a moi et personne d'autre.

Les difficultés particulières et les résistances générales se compliquent encore de hiérarchies disciplinaires tacitement incontestées au sein du groupe : en tête viennent presque à égalité les mathématiques et les lettres classiques, puis la physique et les lettres modernes ; après, la biologie, les langues... Cela étant, face aux collègues inférieurs du secondaire, le bloc se reconstituait. On ne s'adressait pas aux gens du secondaire. Aujourd'hui, l'esprit de caste est un peu moins vif, mais j'entends des propos surprenants. On parle de la « grande dame blonde, très mince, qui est là depuis pas très longtemps et qui doit faire de l'histoire » (elle est à Fénelon depuis neuf ans) et l'on ignore son nom, on ne la nomme pas plus qu'on ne la rencontre. La prérentrée ressuscite, à l'occasion du pot rituel, chaque bloc.

Vous avez, par exemple, la brochette des matheux. Si vous obtenez que la brochette des matheux des classes préparatoires soit présente à la prérentrée, vous avez déjà remporté un rude pari. Si vous imposez qu'ils se taisent pendant votre discours, ou qu'ils ne parlent pas aussi fort que vous, c'est un deuxième triomphe, qui ne se gagne pas tout de suite — on n'atteint ces sommets ni la première ni la seconde année. Si vous obtenez un pourcentage significatif de professeurs de classes préparatoires présents à la prérentrée, il va falloir, l'année qui s'ouvre, jouer serré, parce qu'une reculade menace toujours, le geste ne vaut que pour un an.

Débarquant à Fénelon, j'ai eu du mal, beaucoup de mal. Le bizutage a été très dur. J'ai parfois avoué — et c'est vraiment l'expression de la sincérité, non d'une sorte de terreur construite après coup — que si j'avais su ce que c'était, je n'aurais pas osé venir. Je ne dis pas que je n'aurais pas aimé venir. Je suis fort attachée à cette maison, satisfaite de cet apprentissage, mais j'ai connu une grande solitude. J'ignore les raisons pour lesquelles ma candidature l'a emporté sur tant d'autres. Il me semble, en tout cas, qu'il était sage de ne pas jouer la proximité, de ne pas promouvoir quelqu'un d'âgé, familier de Paris et du quartier. Mais si j'avais su quelle barque on me demandait de mener et dans quel état se trouvait le navire...

L'unique antidote à la solitude, ce furent mes expéditions au chevet du censeur, dans une clinique de Maisons-Laffitte. Je lui disais : « Voici l'hypothèse que j'ai formée sur telle personne, sur tel dossier. » Elle écoutait et répondait : « Gagné ! C'est bien. Maintenant que vous flairez l'affaire, je vais tout vous raconter. » Bref, la copie était bonne et en plus je comprenais pourquoi la copie était bonne. Elle m'expliquait tout, s'amusait beaucoup. Je lui mimais Fénelon au fur et à mesure de mes explorations. Et elle m'aidait, bribe après bribe. Je rentrais et la solitude retombait. Je me suis pourtant rapprochée assez vite des professeurs de khâgne et d'hypokhâgne qui m'ont vaille que vaille reconnue comme l'une des leurs et m'ont un peu adoptée. De temps en temps, elles me proposaient de déjeuner au restaurant. Cela n'allait pas au-delà et je ne souhaite toujours pas, au demeurant, mélanger les domaines mais c'est certainement un secours.

Mais l'isolement le plus pénible, c'était le mur qui me séparait, à Paris, des autres chefs d'établissement. D'abord je ne les connaissais pas ; et surtout, au quartier Latin, la loi d'airain est : « motus et bouche cousue ». Ah ! la convivialité perdue de l'académie de Dijon ! J'avais deux grands-oncles là-bas, à Nevers : le proviseur de Clamecy et celui de Cosne-sur-Loire, trop contents de parrainer une débutante. Et les réunions syndicales servaient de session de formation. Mais ici, la concurrence et la banquise. A part le proviseur de Lavoisier, angliciste, qui m'a quelque peu mise au parfum, raconté des choses, présenté des gens, on me laissait seule sur mon île. Louis-le-Grand paraissait une planète impénétrable, Saint-Louis un autre univers hostile, Henri-IV, le concurrent majeur, me battait froid, et je sentais en outre un courant de méfiance du côté de Camille-Sée, Victor-Duruy — toutes ces dames sévriennes qui me guettaient d'un œil narquois. Mes premières rencontres avec les collègues ne se sont produites qu'en juin, lors des séances d'affectation des élèves par secteur, sorte de chasse carnassière où l'on se déchire, se vole les dossiers prometteurs.

J'aurais pu chercher le contact du côté des usagers, des parents. Mais, là encore, maintes surprises m'attendaient. Il n'existait qu'une association qui se considérait comme amplement suffisante, incontestée et représentative de tous les parents. J'ai été aussitôt frappée par le niveau intellectuel, « scolaire » de ces parents d'élèves et par l'aspect — je schématise — mondain des délégués, parfaitement insérés dans le quartier. La présidente, à l'époque, était l'épouse du médecin de l'École normale supérieure de la rue d'Ulm.

C'était un style d'interlocuteur qui me changeait radicalement des parents d'élèves que j'avais côtoyés à Nevers, qui étaient, eux aussi, l'émanation de la population locale, sauf que cette population-là m'était familière : c'était mon propre milieu d'origine. L'impression produite sur moi par la Fédération des parents d'élèves venait renforcer celle qui s'était dégagée du corps professoral : on nageait dans les mêmes eaux.

En bref, un milieu hautement intellectuel qui connaît toutes les ficelles, tous les rouages, toute la hiérarchie de l'appareil scolaire, dont le discours est un discours de technicien, souvent plus averti que le chef d'établissement. Les délégués ruminaient mille griefs envers l'administration du lycée Fénelon. Ils se déclaraient prêts à déballer des « affaires », voire de petits « scandales ». On m'a dit que la caisse de solidarité ne servait pas à aider les élèves, mais à payer les couronnes mortuaires des membres du personnel, sinon de leur conjoint, que les élèves étaient laissés à l'abandon, qu'il n'y avait pas d'administration, qu'on n'associait les parents à aucune décision. Mes visiteurs étaient très méfiants à l'égard de la façon dont on gérait le foyer socio-éducatif — langage auquel j'ai immédiatement prêté une oreille attentive. De fait, la situation de ma boutique, côté gestion, n'était nullement reluisante, au point que mon énergie a longtemps été absorbée par le décompte des serpillières et la remise en ordre comptable (l'intendante, en congé, avait disparu). Des mois et des mois ont été nécessaires pour que mes relations avec les parents s'émancipent des litanies, complaintes et gémissements. Il faut reconnaître que la non-participation était de règle à Fénelon, que l'information ne circulait pas, que les délégués, depuis le début de l'année scolaire, n'avaient rencontré ni censeur ni chef d'établissement. Le dialogue et la délimitation des rôles respectifs s'étioleraient à moins.

Quelle transition, tout de même ! Au Banlay, on nous confiait les élèves pour que nous les stockions dans une sorte de garderie. Les relations étaient étroites avec le monde de l'emploi, de l'industrie, avec les patrons, les professionnels, qui étaient aussi examinateurs pour la délivrance des diplômes techniques. J'évoluais dans un monde réel, où l'économie occupait une place majeure. Et les enfants qui m'étaient confiés étaient, en assez grand nombre, des enfants plus ou moins abandonnés. Et me voici, tout à coup, parmi des intellectuels, des experts ès arcanes universitaires, établissant des comparaisons incessantes : les conseils de classe, à Henri-IV, commencent plus tôt ; à Louis-le-Grand, on organise un bac blanc ; à Victor-Duruy, le recrutement en seconde ne se déroule pas de la même manière. Un univers extraordinairement averti de multiples astuces et règles du jeu qui m'étaient inconnues. Moi qui goûte la libre parole, j'étais contrainte de me taire, de me retenir, constatant que les parents étaient à la fois frustrés et surinformés.

Mon arrivée à Fénelon, une phrase la résumerait : j'ai découvert que le métier que j'avais un tout petit peu appris, que je commençais à savoir faire, ne me servait quasiment à rien. Les agents ne se dirigeaient pas du tout de la même manière ; les élèves n'étaient en rien comparables, s'annonçaient infiniment plus reposants que ceux que je venais de quitter, ne manifestaient aucune de ces mystérieuses formes de violence qui, à Nevers, les amenaient à briser quatre ou cinq lits de fer en une seule nuit dans tel ou tel dortoir. La contestation existait à Fénelon mais une contestation que j'identifiais, une contestation de potaches analogues à ce que j'avais été. Inversement, il fallait apprendre le mode d'emploi spécifique de chaque professeur, tandis que fonctionnait au Banlay un fort contingent de maîtres de l'enseignement technique habitués à travailler ensemble et désireux de travailler ainsi.

Si je devais ramasser en une seule ces images éparses, je ne garderais qu'un souvenir de cette première année : à la rentrée de 1978, un étonnement considérable a saisi les professeurs de seconde quand ils ont relevé, sur leurs fiches, deux professions de parents incongrues : le premier était fermier, l'autre chauffeur de taxi. Des espèces inconnues. Tout le monde sait qu'un élève normal est normalement fils de prof.

5. L'exercice du pouvoir

Où madame le proviseur
se compare au saint curé d'Ars

En un sens, être proviseur de Fénelon, cela a quelque chose à voir avec la présidence de la République. Je dis souvent aux professeurs : « Ce qui est merveilleux, ici, c'est que, quand on éternue, on a le sentiment de poser un acte historique. On est toujours le de Gaulle du lycée Fénelon. » Après les « événements » de 1968, comme je persistais dans ma vocation de chef d'établissement, une vieille surveillante générale, de passage au lycée de Mulhouse, m'avait lancé : « Cela ne vous gêne donc pas, vous qui êtes une révolutionnaire, de rêver d'une carrière où vous ne deviendrez jamais que le petit Pompidou de votre établissement ? » Et c'est vrai que cette dimension existe : représentant de l'État, représentant du ministre et, pourquoi pas, représentant d'un gouvernement. D'autant que Fénelon est géographiquement proche de la rue de Grenelle, de l'Élysée aussi...

Quelque chose m'a touchée dans le dernier livre de Giscard d'Estaing. Un soir où il avait raccompagné Helmut Schmidt à son hôtel, il rentrait à pied et est passé devant la maison de son enfance. Il était naturellement entouré de tous les gorilles habituels et a songé en silence : je sais qu'ici c'est chez moi, que cet endroit me parle, que je ne pourrais visiter ce lieu avec indifférence, mais je suis le seul à le savoir et je ne puis le raconter, m'arrêter et entamer un discours lyrique. Cet isolement, ce mutisme affectif, c'est une figure du pouvoir que je ressens vraiment. Giscard raconte aussi comment il avait fait transporter les meubles du ministère des Finances à l'Élysée pour continuer à travailler sur le même bureau. Eh bien, moi, l'une de mes premières obsessions, dans cet immense appartement délabré que j'ai trouvé en arrivant, a été de faire poser le même papier peint qu'à Nevers. Une manière symbolique de me raccrocher à ce que je connaissais, à ce qui était mon expérience. Il s'agit là d'une élémentaire ruse tactique pour combattre le désarroi un peu enfantin, la régression intime qu'engendre la solitude du chef. Vous vous raccrochez à des objets, à la couleur des murs.

Lorsque je retrouvais, rue de Buci, le marchand de fleurs que j'avais connu juste vingt ans auparavant, à l'époque où j'étais étudiante dans le quartier, il était illusoire de partager ce plaisir-là, il fallait que je le déguste seule — on ne raconte pas sa vie. Non, quand on dirige un « personnel », on ne raconte pas sa vie. Le pouvoir, c'est d'abord cela.

Mais, à la différence de maints collègues, je n'ai nulle envie de proclamer d'emblée : « Oh ! vous savez, du pouvoir, on n'en a guère, on en a même très peu, on est un fonctionnaire, etc. » Nulle envie de me faire pardonner les parcelles de pouvoir que je détiens effectivement. Cela dit, je soutiendrai avec la même énergie que le goût du pouvoir n'a pas été et n'est toujours pas le moteur de mon choix. Mon choix est d'agir dans, sur et par une communauté humaine. Pareille ambition induit la recherche, la conquête d'un certain pouvoir, et je reconnais volontiers que je me démène pour le rétablir chaque fois qu'il aurait tendance à m'échapper. J'en veux, du pouvoir, j'en ai, mais c'est l'instrument de mon choix, non l'essence de ce choix même.

Quand on vous dit (« on » étant un journaliste ou un parent d'élève) : « C'est pour avoir du pouvoir que vous avez voulu faire ce métier », avec un air un peu soupçonneux, goguenard, comme s'il y avait quelque honte à demander du pouvoir, le chef d'établissement répond que oui. Oui, il avait envie d'avoir du pouvoir, oui il en a, oui il l'exerce, même s'il se garde de proclamer ostensiblement : « Mes professeurs, mes élèves, mon intendant ». Lorsqu'il franchit le seuil de sa maison, il sait que, là, il peut changer des choses, lesquelles font que sa maison ne ressemble à aucune autre.

Mais il faut qu'il précise aussi vite combien l'humour est indispensable à l'exercice de ses fonctions : s'il se prenait trop au sérieux, s'il avait soif de pouvoir absolu, il glisserait à brève échéance vers un abîme de désolation. Car le chef d'établissement détient, certes, des pouvoirs considérables, mais dans des limites fort étroites, avec des contraintes qui façonnent sa vie quotidienne, déterminent la totalité de sa pratique professionnelle. Beaucoup, d'ailleurs, lui prêtent infiniment plus de pouvoir qu'il n'en a.

En particulier, nous surprenons beaucoup nos collègues de l'étranger quand nous leur avouons qu'un chef d'établissement ne choisit aucun de ses collaborateurs. Limite considérable : il travaille avec ce qu'il a, avec ce qui lui est donné et où il est affecté. Un chef d'établissement ne choisit pas son lieu de travail. Le premier poste lui est imposé. Pour les autres, il peut influer, s'il est habile, s'il sait s'informer, s'il calcule bien ses chances, ses risques, s'il a une conscience très claire de ce qu'il souhaite.

L'histoire des collaborateurs, c'est plus important encore. Pas question de mettre le nez dans la nomination de son proviseur adjoint, de son intendant, des conseillers principaux d'éducation, avec lesquels on va cohabiter pendant des années. Ce ne sont d'ailleurs pas les seuls collaborateurs dont le chef d'établissement est étroitement dépendant. Le concierge et le chef cuisinier sont deux pièces maîtresses de l'échiquier sur lequel il joue et, là encore, il s'agit de fonctionnaires désignés par le ministère de l'Éducation nationale, sans concertation aucune.

De même, dans les classes secondaires, le chef d'établissement se voit doté de professeurs qui lui échoient au sortir d'une espèce de loterie, mais une loterie qui a ses règles, sophistiquées, peu à peu imposées au ministère par l'action acharnée et persévérante des syndicats. Sont nommés dans votre établissement des collègues qui, par le jeu des barèmes, parviennent à totaliser le nombre le plus élevé de points. Fatalement, puisque c'est une conquête syndicale, l'ancienneté dans le poste précédent joue un rôle prépondérant. En d'autres termes, dans un lycée tel que le lycée Fénelon, prestigieux, paraît-il, relativement calme et donc poste assez enviable, seront nommés des professeurs qui, par définition, auront beaucoup de points au barème et toucheront donc au port presque en fin de carrière.

Le proviseur est, en somme, un oiseau qui, dans sa cage, peut assurer un travail important et vivre d'une manière relativement confortable, à condition qu'il ait renoncé à la liberté de mouvement. S'il est obsédé par le désir de déployer complètement ses ailes et de voler à l'air libre, il va sans cesse se cogner aux barreaux, être obsédé par ce qui l'empêche d'agir, par ce qui l'entrave, et donc ne pas trouver de plaisir à fonctionner dans l'espace restreint qui lui est dévolu, où pourtant maintes possibilités sont offertes. C'est pourquoi l'humour est un préalable absolu. Il faut que le chef d'établissement prenne plaisir à se mouvoir dans un espace restreint, s'y amuse, s'y réveille sans déplorer chaque matin les contraintes statutaires, budgétaires, réglementaires qui l'enserrent.

Quel pouvoir à l'intérieur de la cage ? Premièrement, un pouvoir territorial. J'y ai déjà fortement insisté : vous avez votre maison et, dans cette maison, vous pouvez changer des choses, vous pouvez décider, vous occupez un espace de liberté par rapport au monde extérieur, y compris par rapport à vos supérieurs hiérarchiques. L'idée en est si ancrée chez moi que, chaque fois qu'on me propose une autre mission, la perspective de n'avoir plus pour outil qu'une valise me terrifie. A plusieurs reprises, dans ma carrière, il m'a été offert de devenir inspecteur. Je pourrais me balader, comparer les lieux, les expériences. Mais rien à faire. Impossible d'abandonner ma cave, mon grenier, ni même mes murs qui croulent. Si j'ouvre la porte d'entrée, j'ai le sentiment que mon influence s'exerce, y compris dans des domaines où je n'ai pas à rendre compte. Là, je suis mon propre chef. Sans rupture, sans rébellion, mais avec une réelle indépendance.

Autant Paris est difficile d'accès et oblige à réapprendre le métier, autant le pouvoir territorial y est plus considérable que partout ailleurs. C'est tellement grand, il existe tant d'établissements scolaires, qu'un recteur et même un directeur des services académiques ou un inspecteur d'académie restent lointains. Nous avons, à la rentrée dernière, changé d'inspecteur d'académie. Le précédent titulaire du poste est, paraît-il, remplacé par une dame ; cette dame signe des papiers, donc elle existe. Je l'ai entrevue une fois lors de la préparation d'une commission paritaire. Mais elle n'est jamais venue jusqu'à moi et, moi, jamais je ne suis allée jusqu'à elle ; depuis la rentrée scolaire, je n'ai pas d'inspecteur d'académie — au sens où cet inspecteur d'académie pèserait sur ma maison. La dernière nommée m'a d'ailleurs dit : « Vous êtes le proviseur de Fénelon, inutile que je vous rende visite puisque à Fénelon vous n'avez pas de gros problèmes. » Les supérieurs hiérarchiques sont donc très loin. En outre, ils ne font que passer. Généralement, pour eux, ce poste est un tremplin vers l'Élysée ou la rue de Grenelle. Ils sont happés par le directeur des services académiques, qui lui-même a été happé par quelque cabinet et, ensuite, emmène un, deux ou trois inspecteurs. Il faudrait beaucoup de mauvaise foi pour invoquer la tutelle hiérarchique et prétendre ainsi qu'on n'est point chez soi.

Si je n'ai rien à dire concernant la nomination des professeurs, en revanche, s'agissant de l'inscription des élèves, et malgré les règles assez subtiles de la sectorisation pour l'affectation en classe de seconde, il existe une marge de manœuvre, de dialogue. Pour satisfaire la demande, le chef d'établissement peut susciter cette demande, et il peut, inversement, dissuader une autre demande. Il se trouve comme devant des clients dans le domaine commercial : il a un certain produit, s'il veut que ce produit réponde aux attentes des populations, à lui d'agir sur ces populations afin que naisse le besoin du produit qu'il sait être capable d'offrir. Ainsi vais-je, de collège en collège, porter la bonne parole auprès des parents des classes de troisième.

Au niveau des classes de première et de terminale, la liberté de mouvement est un peu plus grande. Et, à l'échelon des classes préparatoires, le chef d'établissement règne en maître sur les inscriptions. Il est là, devant un dossier, il apprécie les jugements portés par les professeurs au cours des années sur la scolarité d'un candidat, et il est libre de répondre oui ou non à un individu qui a fait acte de candidature.

Le principal pouvoir dont j'estime disposer et que j'exerce probablement avec quelques abus, tirant les textes plus qu'ils n'y invitent normalement, c'est donc un pouvoir d'orientation. J'ai réellement le sentiment qu'un élève qui entre en seconde est un individu sur lequel je détiens un véritable pouvoir de décision, ce dont j'ai à lui rendre compte, car cette décision influera sur son avenir et cependant m'appartient. Je revendique cette responsabilité haut et clair. Les circulaires stipulent que « le chef d'établissement décide après consultation du conseil de classe ». Eh bien, en tant que président du conseil de classe, je revendique le droit et le devoir de décider et, du même coup, la responsabilité de la décision.

Les commissions d'appel ne me paraissent nullement amoindrir ce pouvoir-là ; au contraire, je choisis parfois de solliciter l'avis de la commission d'appel quand surgit un dossier difficile, douloureux. Il me semble alors judicieux de consulter d'autres personnes, espérant que leur réaction sera enrichissante. Cela posé, je mets aussi en pratique le texte qui précise : « Après le résultat de la commission d'appel, le dialogue reprend avec le chef d'établissement. » Il reprend, ce dialogue, effectivement. Et il est susceptible d'engendrer une décision nouvelle sur laquelle je m'engage à informer les professeurs. Bref, je ne considère jamais un avis du conseil de classe comme définitif avant qu'aient été épuisées les ressources maximales des textes officiels. Ce pouvoir d'orientation, de décision, mais aussi de renverser une décision, bref, le pouvoir d'inscrire ou de ne pas inscrire constitue à mes yeux l'essentiel.

D'autres pouvoirs existent, mais dérivés, en fonction d'éléments extérieurs. Ils existent si l'on renonce à toute ambition dictatoriale, si l'on se donne le moyen et la peine de les faire exister par des créations d'alliances. Ainsi en va-t-il du pouvoir en matière pédagogique, d'animation, du pouvoir sur les professeurs. Ce dernier, notamment, je me le donne lorsque je parviens à susciter un climat qui les oblige à l'estime. A partir du moment où ils vous ont apprécié dans certaines circonstances, où vous avez fait équipe avec eux, ils font équipe avec vous. A Fénelon, je l'ai dit, le pouvoir d'intervenir sur les nominations en classes préparatoires m'échappe. Et, dans le second cycle, c'est l'ordinateur qui est roi. En prépa, quand M. l'inspecteur général juge utile de vous consulter, ou du moins de vous informer, c'est considérable. Sinon, vous apprenez qu'un professeur est parti lorsque son remplaçant s'annonce. Lequel remplaçant n'a de comptes à rendre qu'à l'inspecteur général.

Certes, il y a la notation, l'appréciation portée sur chaque fonctionnaire tous les ans. Quand je suis arrivée ici, on m'a mise en garde. La secrétaire m'a dit, à propos d'un professeur : « Vous savez, elle n'a jamais voulu contresigner sa note ; ou alors elle y a ajouté des observations très dures, en trépignant tellement qu'elle a percé toute la liasse, les sept exemplaires. Soyez donc prudente, madame le proviseur. » Selon la règle, tous les ans, le chef d'établissement doit convoquer chaque enseignant et lui communiquer sa note administrative, assortie d'une appréciation. Cette note administrative est portée sur 40. A mon arrivée, parmi 102 ou 103 professeurs, 85 avaient déjà atteint les 40. Or, toute diminution de note doit être justifiée par un rapport, ultérieurement soumis à une commission paritaire ; autant dire que, statutairement, le professeur est protégé contre une baisse éventuelle de sa note.

Chez les professeurs des classes préparatoires qui obtenaient ontologiquement 40, je n'ai guère éprouvé de cas de conscience. Selon les critères sacro-saints : ponctualité, assiduité, rayonnement, autorité, ils étaient irréprochables, sauf un ou deux cas, douloureux, de gens « en panne ». En pareille circonstance, je n'ai pas recouru à la sanction administrative, j'ai réclamé l'intervention de l'inspection générale. Car il ne s'agissait pas d'un défaut de compétence. Cette compétence était bien réelle, mais elle n'était plus adaptée.

Ils avaient donc tous 40 et je n'y pouvais rien. Ce que je pouvais, c'est peaufiner une appréciation, intéresser le destinataire à l'appréciation qui le concerne. J'avais observé que les trois quarts des enseignants de prépa signaient leur note administrative sans même la lire. J'ai alors porté mes soins sur la formulation ; progressivement, j'ai mentionné des remarques dont certaines les amusaient. Aujourd'hui, une sorte de rituel s'est instauré : ils découvrent avec plaisir ce que je rapporte sur leur compte. Par exemple : « Conduit sa khâgne comme sa moto, allégrement, avec une intrépidité calculée, sans danger, sans accident, et en la menant vite et droit au but... » (La moto de ce monsieur joue un rôle très important dans la vie de la maison.) Je récupère également les slogans politico-publicitaires. A un professeur de physique, j'ai décerné le label de « la force tranquille ». Cette année 1988 s'annonce féconde. Je vais inscrire au répertoire « l'ardeur » et « le courage », ou encore « il est temps de faire confiance à M. Untel ». Certains se piquent au jeu, entrent dans la connivence jusqu'à recopier leur appréciation, ce qui pour moi est un modeste triomphe. Mais la notation administrative ne fournit jamais un moyen de pression. C'est une zone de pouvoir en trompe-l'œil, étriquée, assez insignifiante.

La difficulté majeure tient à ce que le chef d'établissement ne juge les enseignants que d'un point de vue administratif. L'appréciation pédagogique relève d'autrui — l'inspecteur. On ne doit pas s'en mêler, on n'est pas compétent. Or, neuf fois sur dix, les griefs les plus graves qu'on puisse adresser à un professeur concernent sa pédagogie. Sans doute, s'il néglige le cahier de textes ou refuse de faire l'appel, une intervention est concevable. Il existe une aire mitoyenne où pédagogie et administration sont imbriquées l'une dans l'autre : c'est le domaine de la discipline. Ainsi, je refuse obstinément d'augmenter la note d'un des professeurs de la maison, malgré les demandes de justificatifs émises par la commission paritaire ou les protestations relevant qu'à tel âge doit correspondre tel barème, parce que règne un joyeux bazar dans la classe de cette collègue, qu'elle participe irrégulièrement au conseil de classe, remplit plus ou moins ses bulletins, et que je suis parfois contrainte de me déplacer jusqu'à la salle où elle exerce pour y rétablir, provisoirement, un peu de calme.

Le conflit était inévitable et je n'ai pas cherché à le fuir. Elle m'a dit : « Casez-moi, aidez-moi à me trouver autre chose. Vous avez sûrement raison. » Le seul conseil que je lui ai donné, c'est de bifurquer vers l'administration. En théorie, cela ne lui déplaisait pas. Mais elle ne voulait pas de responsabilités, elle ne voulait pas être patron, elle voulait être son patron. Elle a demandé un poste de principal adjoint, en précisant qu'elle exigeait Paris. Au vu des appréciations la concernant, les recruteurs de chefs d'établissement ont manifestement pensé qu'être chahutée dans sa classe n'est pas le meilleur critère pour prendre du galon. Elle est donc revenue et nous vivons selon un pacte tacite. Trois ou quatre fois par an, je lui signale que les parents d'élèves protestent, que les élèves protestent, et que, cette fois encore, je lui décernerai une appréciation désagréable... Mon pouvoir s'arrête là.

A contrario, je n'ai jamais pu obtenir 40 pour un professeur de philosophie tout à fait remarquable, mais « trop » jeune. J'ai précisé qu'étant donné sa participation à la vie de l'établissement, et même si je me rendais bien compte que la note semblerait excessive, en tout cas prématurée selon la grille ordinaire, j'insistais pour qu'on accordât 40 à ce maître exceptionnel, arguments à l'appui. 40, c'était impossible, il a fallu se contenter de 39 1/2...

Chaque année, en conseil d'administration, j'interpelle les syndicalistes enseignants sur le rapport entre mérite, qualités et rendement. Ils me rétorquent qu'il n'existe pas et ne saurait exister de réel critère de qualité et que, tant qu'on est incapable de mesurer la qualité, mieux vaut noter à l'ancienneté, que c'est encore le moins mauvais des systèmes. Moi aussi, je suis syndicaliste. Je souhaiterais qu'on répartisse les professeurs en trois groupes : ceux qui donnent satisfaction ; ceux qui connaissent des problèmes graves qu'il faut bien signaler, traiter et sanctionner ; et puis une petite catégorie de gens hors du commun — pour des raisons diverses, d'ailleurs.

Mais j'ai mis beaucoup d'eau dans mon vin concernant la notation. En particulier au sujet du « rayonnement » de chacun. Naguère, je tenais grand compte de la participation à la vie de l'établissement, aux conseils d'administration, aux activités périscolaires. Mais comment voulez-vous demander aux professeurs des classes préparatoires qui sont payés 350 francs l'heure de colle de rester avec nous ? Il ne faut pas rêver ! Je me suis également aperçue que certains enseignants avaient un rayonnement, une activité périscolaire, ou parascolaire, sans être assidus aux réunions, aux discours et palabres. Nombre de gens très importants dans la vie de l'établissement ne paraissent guère sortir du cadre de leur cours, ou ne pointent leur nez qu'à quelques réunions d'information. Je pense, par exemple, à un professeur de mathématiques, en math spé, option biologie. Lorsque s'est produit l'attentat antisémite rue Copernic, elle a commencé sa classe ainsi : « Après un tel événement, il me paraît difficile d'enchaîner paisiblement sur un exercice de mathématiques. Comme je ne suis pas capable de vous parler de l'événement lui-même, et qu'il n'est pas question non plus de le réduire à un sujet de discussion, j'ai choisi un texte de Camus que je vais vous lire, un texte sur la violence. » Voilà. Cette femme « a un rayonnement » dans la maison, aide à préserver l'équilibre des troupes, rend les mathématiques proches et humaines, est souriante, ne pousse pas de hurlements, remplit les cahiers de textes qu'on lui demande de remplir et ne considère pas que c'est déchoir que de le faire.

J'ai aussi appris à ne rien écrire sur quiconque sans le lui communiquer jusqu'à la dernière virgule. C'est un élémentaire, mais salutaire, exercice de vigilance sur ses propres déclarations et ses propres jugements. Je songe ainsi à un professeur qui buvait. Avant de rédiger un rapport à son sujet, j'attendais qu'il fût entre deux vins afin de lui parler, assurée qu'il entendait ce que j'allais écrire. Semblable règle est importante pour les relations entre adultes dans l'établissement, d'autant que les relations entre jeunes et adultes sont à l'image de ce que sont les relations entre les adultes. Si l'on triche à ce niveau-là, il ne faut pas s'étonner que les élèves trichent avec vous. et ils ont bien raison en ce cas, c'est tout ce qu'on cherche.

Donc, j'ai résolu d'avertir très exactement ce professeur de ce que j'allais rapporter sur son compte. Je me suis aperçue que ce n'était pas facile, que cette règle de déontologie élémentaire est exigeante et douloureuse. Parce que votre vis-à-vis est un collègue. Il est de votre âge ou un peu plus âgé que vous ou un peu plus jeune, cela n'a aucune espèce d'importance, mais c'est très pénible. Surtout lorsqu'on se doute qu'il faudra recommencer. Un savon à passer, ce n'est pas grave. Mais si vous vous retrouvez avec le collègue pour lui dire les mêmes choses, cela devient affaire de courage, d'hygiène psychologique, intellectuelle et morale. Tout ce que j'ai obtenu, en l'occurrence, c'est un déplacement par « délégation rectorale » sur un autre poste où il exerce avec des élèves plus âgés et avec des petits groupes en formation continue.

Avant d'entrer dans la classe de seconde, ou dans une

première A que les mathématiques préoccupaient peu, il sifflait deux ou trois petits blancs au café. Et, pendant les surveillances de mathématiques, au baccalauréat, il était pris d'angoisse, quittait la salle et allait se rassurer au bistrot d'à côté. Inutile de vous dire que, pendant ce temps-là, le chef de centre, lui, n'était pas du tout rassuré, parce les candidats demeuraient sans surveillance. De n'écrire que ce que j'avais dit et de dire tout ce que j'avais écrit, cela a provoqué plusieurs conséquences immédiates, dont la première fut d'introduire une règle du jeu extrêmement stricte vis-à-vis des plaignants — élèves ou parents. Pour lui, ce fut déterminant. Il reconnaissait l'autorité que j'exerçais sur lui quand j'allais le rechercher au bistrot pour qu'il reprenne sa surveillance interrompue.

J'ai vérifié, en cette occasion, que les médecins, quand il s'agit de déplacer un professeur, ne sont guère plus courageux que les autres adultes de la communauté scolaire et se réfugient derrière le rapport de Mme le proviseur. L'un d'entre eux lui a même lu, tout secret professionnel mis à part, le rapport du proviseur. J'ai appris, incidemment, qu'un document confidentiel ne le reste pas toujours. Et qu'on gagne à ne point s'écarter des faits. Ce collègue continue à me donner de ses nouvelles ; il a été désintoxiqué, fait du sport et m'a dit en conclusion, quand il a appris sa délégation rectorale : « Si mon père avait mené son entreprise comme vous menez le lycée, je serais un héritier bien plus riche que je ne suis. » Ce qui prouve et l'intelligence et l'humour du garçon — et que la confiance « paie ».

Conviendrait-il, lors de situations extrêmes, de rompre le contrat de la fonction publique et d'envisager des licenciements ? Je pense que oui, dans des cas très clairs. Et surtout qu'il faudrait des lieux de négociation, des conseils, des interlocuteurs au niveau rectoral ou ministériel. Il devrait être envisageable, après avis médical, de ménager à un professeur épuisé ou défaillant un détachement dans un emploi de bureau pendant quelque temps, lui accordant la possibilité de se remettre sur pied. Il faudrait permettre à l'individu en panne de retrouver un nouvel enthousiasme. Et puis une mobilité dans le système. Trente-sept ans et demi ! Les gosses sont les premiers à s'alarmer : c'est impossible, trente-sept ans et demi en face de nous, mais vous ne tiendrez pas... Et ils n'ont pas tort. En réalité, dans le système de pouvoir qui est le nôtre, on se débat, on se débrouille, on se débarrasse, occasionnellement, des cas limites. On a des relations, alors on adresse le professeur en difficulté à l'une de ses relations qui lui apportera peut-être une aide psychologique. Mais c'est du bricolage, on ne saurait se prendre au sérieux en ce domaine.

Non : sur les professeurs, on est sans vrai pouvoir. Ni de les transformer pédagogiquement ni même de rétablir des relations humaines quand elles sont gâchées. Comment peut-on donc travailler avec les enseignants ? L'unique méthode, je crois, est de leur proposer un échange de bons procédés. En d'autres termes, je fonde mon travail avec eux sur une alliance dont la pierre angulaire est la garantie d'une aide inconditionnelle quand il s'agit de restaurer leur autorité par des sanctions (maints autres chefs d'établissement décèlent ici une imbécillité surannée ou un penchant militaire). En principe, l'idéal serait d'économiser le recours aux sanctions dans le système scolaire. Pour ma part, je n'ai pas encore inventé le moyen de procéder autrement.

Mais je préconise des sanctions expliquées, progressives, dosées.

L'aide aux professeurs est un aspect primordial du pouvoir du chef d'établissement et par là même de ses devoirs. On a assez dit la difficulté de leur tâche. J'en suis chaque jour plus consciente et je sais aussi que presque tous forcent l'estime. Au long de ma carrière, il ne me semble pas avoir considéré plus de trois ou quatre fois qu'un maître était définitivement inapte à sa fonction. Pour quelques-uns, je me le suis dit durant un court moment ; pour d'autres, tous les lundis matin. Mais, pour moi, et correction faite des humeurs saisonnières, l'impasse absolue est l'absolue exception.

Si cela se produit, je me sens, moi, en échec. J'avoue que je prends relativement à la légère mes carences ou celles de mon établissement vis-à-vis des parents. Vis-à-vis des élèves, je ne le supporte pas. Je ne m'y suis jamais habituée, et je ne m'y habituerai pas d'ici ma retraite. Dans l'impasse absolue, je me sens perdue, lamentable, et je le proclame. En général, cela se termine d'une manière assez touchante : ce sont les élèves qui me consolent et qui promettent de rester tranquilles jusqu'à la fin de l'année — tout en formulant le vœu que leurs successeurs, du moins, n'héritent pas du professeur insuffisant. Les gosses sont capables de comprendre beaucoup de choses. Reste que semblable échec se situe à « l'endroit où se fait et se défait l'estime qu'on a de soi-même ». Dans ces situations-là, je ne sais plus pourquoi je suis payée. Je ne cours pas consulter le psychiatre pour autant, mais c'est un souvenir qui ne s'estompe pas, qui ne s'apaise pas. Ces échecs, je m'en souviens suffisamment pour militer chaque fois qu'apparaît une solution qui changerait le système. Je veux bien me décarcasser pour qu'on le change, parce que je me sais débitrice. Les administrateurs sont fréquemment tentés de s'abriter derrière l'impuissance objective. Je n'en suis pas.

S'il est quelquefois impossible de remédier aux carences, il est en revanche possible d'en limiter l'étendue. Un chef d'établissement n'empêchera pas les trois ou quatre échecs que je viens d'évoquer. Mais il empêchera qu'ils ne deviennent huit, dix ou douze. J'ai le pouvoir d'éviter que certaines personnes passagèrement en difficulté ne sombrent dans une déprime profonde. L'initiative la plus simple et la plus efficace consiste à dégager, dans leur existence, quelques zones d'apaisement. Toute enseignante de Fénelon, lors d'un passage à vide, sait qu'elle ne restera pas avec son propre enfant d'âge scolaire sur les bras, qu'il sera toujours casé par le proviseur, soit dans l'établissement même, soit ailleurs, mais à coup sûr pris en charge. J'accompagne le dossier, s'il le faut, jusque dans le bureau de mon collègue d'Henri-IV (dans l'hypothèse où l'enfant en question habite le quartier et doit entrer en sixième). De même, les enseignants de Fénelon savent qu'ils peuvent pratiquement tout raconter, que rien ne sortira de mon bureau — ce qui est élémentaire — et que je suis toute prête à entendre les difficultés qu'ils traversent, à modifier un emploi du temps en cours d'année si nécessaire, que je ne ricanerai jamais de leur crainte ou de leur peine.

Bref, ils savent que je méprise l'exercice sadique de l'autorité. S'ils m'expliquent pourquoi ils ne peuvent assurer un cours, je me mettrai en quatre pour qu'ils ne viennent pas, on s'arrangera, je ne les laisserai jamais tomber. Dans leur vie familiale, dans leur vie de parents (qui n'est pas la plus facile à mener pour les professeurs : ce sont souvent les parents les plus angoissés et les plus en difficulté), ils réclament de l'aide, une écoute, un conseil. C'est aussi mon travail que d'essayer de fournir l'aide, l'écoute et le conseil. Une des conditions principales pour que les élèves ne manquent pas leur scolarité, c'est que les profs soient heureux. A défaut de leur offrir le bonheur, il m'appartient — comme proviseur, non comme bienfaitrice — de leur apporter un soulagement éventuel.

Ils frappent à ma porte pour rédiger une lettre administrative. J'ai ainsi à m'occuper d'histoires de remembrement de terrain, quelque part dans le Puy-de-Dôme, sur un domaine que je ne connais pas. Les professeurs sont toujours très démunis dans le secteur administratif, ils hésitent sur la formulation, sur la démarche à entreprendre. Ils ont l'esprit et le cœur fragiles, les intellectuels... Mon service de dépannage SOS-profs évite beaucoup de casse, de déprime, et noue des alliances fortes.

Allons jusqu'au bout des aveux : je ne doute point de mon jugement sur les enseignants. Pas le moins du monde. Pareille attitude semblera choquante, ou idiote. Tant pis. Je me donne tant de mal pour le forger, ce jugement, j'enregistre tant de confidences, je lis, j'écoute, je reçois, j'observe — et je ne peux plus ensuite m'accorder d'état d'âme. Si je doute à ce stade-là, je flanque toute ma maison par terre, elle devient un château de cartes. Si cela n'est pas sûr, alors rien n'est sûr, il suffit de souffler pour que l'édifice s'effondre. J'en réponds comme de moi-même.

Je pourrais vous nommer tous les enfants des deux tiers d'entre eux en situant à peu près leurs âges respectifs, en retraçant leur scolarité. Je sais où est née Mme Unetelle, quelle était l'ambition de ses parents, pourquoi elle a passé une agrégation d'histoire, ce que représente la mort de son père dans sa vie, ce que ne représentera pas la mort de sa mère, ce que fait son mari, peut-être pas exactement combien il gagne, mais quel appartement il serait susceptible d'acheter boulevard Saint-Michel.

En retour, je parle peu de moi-même et je m'aperçois que peu c'est encore trop. Les amitiés, les confidences ne sont saines qu'avec des gens qui ont quitté la maison ou pris leur retraite. Au début de mon séjour ici, je me suis un peu livrée et ai vite regretté de l'avoir fait, veillant ensuite à reprendre ce que j'avais donné au lieu de donner plus. Je m'arrange de ma vie personnelle à l'extérieur. Il me semble que c'est une nécessité, surtout dans un lycée qui est petit comme le mien, où les maîtres, administrateurs et agents demeurent fort longtemps, où l'on est très proche par la vie professionnelle partagée. Les autres savent ce que je suis, qui je suis ; je ne tire guère mystère de mes tendances politiques ou de mes convictions religieuses, ni de mon propre emploi du temps que les secrétaires connaissent par le menu, de même que les concierges surveillent entrées et sorties. Mais je ne raconte pas ma vie.

J'écarte le style « dynamique de groupe » parce que je ne me sens pas de compétence autre qu'une compétence d'écoute. C'est un luxe extraordinaire qu'il existe dans un établissement scolaire quelqu'un qui est payé pour écouter une partie du temps, pour écouter les élèves, pour écouter les professeurs. C'est un luxe dont j'use et abuse. Mais j'observe que mes interlocuteurs, eux, ne cherchent pas forcément le contact avec un cercle plus ample, ils restent terriblement individualistes, et je n'éprouve ni goût ni capacité de dépasser cette relation duelle. Dès qu'une demande induit une réunion large, je prête une oreille attentive mais j'en appelle à d'autres compétences que la mienne. Les réunions dont je suis le pivot sont des réunions de strict travail : le conseil de classe, l'assemblée générale une ou deux fois par an pour déballer toutes les affaires de la maison et introduire un peu d'animation au conseil d'administration, par une information préalable. Quand surgit une question essentielle — la décentralisation, par exemple — je propose une assemblée générale. Mais je me méfie de la gestion « psychothérapeutique » des groupes par des administrateurs qui ne sont pas taillés pour cet exercice. Et je me range parmi ces derniers.

Un collectif, dit « groupe Orsel », s'est néanmoins constitué dans la maison. Peu après mon arrivée, je m'étais étonnée que, dans un arrondissement tel que le VIe, aucune réflexion collective ne paraisse entreprise sur la santé des élèves, la drogue, les grands problèmes de la jeunesse. Or une institution dénommée « l'Abbaye » était notre voisine, animée par le docteur Orsel. L'Abbaye est un centre de soins, d'accueil aux paumés, aux drogués, originellement lié à la paroisse Saint-Germain-des-Prés. Elle doit son enseigne à son adresse : 7, rue de l'Abbaye, juste à côté du lycée. L'assistante sociale de Fénelon, qui travaillait déjà à la mairie du VIe avec le docteur Orsel, m'a conseillé de faire appel à ce dernier pour qu'il nous fournisse une information. Ainsi le docteur Orsel est-il entré à Fénelon. Mais nous avons vite constaté qu'une « information » sur la drogue ne signifiait rien de précis : ou bien on mettait en route une pratique régulière, un suivi des adolescents menacés, et il y fallait du temps ; ou bien l'expert nous assenait une superbe conférence sur les produits toxiques, et ensuite vogue la galère !

Nous avons opté pour l'hypothèse haute et c'est ainsi que, depuis neuf années, le « groupe Orsel » — fort de quatorze personnes — se réunit le deuxième jeudi de chaque mois. L'ordre du jour se résume aux études de cas lancés sur le tapis par divers professeurs qui notent, ici ou là, un comportement singulier, une attitude anxieuse, une crise sévère. La drogue n'est pas l'unique objet de la réflexion commune. Progressivement, l'anorexie a capté notre attention — moins ces deux dernières années. Et les tentatives de suicide. Il s'en produit tous les ans — pas beaucoup, mais beaucoup trop. L'année dernière, il y en a eu deux (du moins connues de nous). Ajoutons l'absentéisme plus ou moins pathologique, les manifestations infinies de fragilité psychologique. Les mêmes questions renaissent en permanence ; on se demande s'il convient ou non de garder l'élève, s'il est ou non scolarisable, si ses troubles sont ou non supportables par une communauté. Je suis impressionnée par les problèmes d'abus de médicaments, le nombre de jeunes en psychothérapie, voire en psychanalyse, et qui se sentent engagés sur la pente d'une marginalité potentielle. Les professeurs sont amenés, bien plus qu'auparavant, à se préoccuper des désordres de vie personnelle, de vie familiale. Le « groupe Orsel » nous aide grandement pour le pilotage de la maison ; certaines décisions du conseil de classe ont été prises en fonction de ses analyses : il nous est ainsi arrivé de conserver un élève au lycée plus par souci thérapeutique que dans l'espoir d'une très hypothétique amélioration de ses résultats.

L'expérience repose sur le volontariat, hors de toute pression ou considération hiérarchique. J'observe qu'elle attire un certain type de maîtres : des professeurs âgés de 40 à 50 ans, qui ont ou ont eu des enfants, et se sont eux-mêmes trouvés confrontés à de sérieux soucis, dans leur propre famille ou parmi leurs proches — des affaires de drogue, surtout. Des gens qui n'ont pas de problèmes de discipline, mais qui commencent à juger que le métier change, que c'est plus dur, qu'on est assailli par cent interrogations nouvelles. C'est le seul lieu de rencontre entre enseignants du secondaire et des classes préparatoires, les disciplines représentées étant très majoritairement littéraires, en dehors de l'éducation physique et sportive.

La possibilité, l'efficacité pratique de cette réflexion collective me consolent un peu de l'infantilisme qui continue de régner sur le monde enseignant. C'est dans ce domaine que j'aurais les choses les plus cruelles à dire, les plus sévères, quoiqu'elles ne se veuillent nullement méchantes. Infantilisme vis-à-vis des élèves, des parents d'élèves plus encore. Infantilisme accru vis-à-vis du supérieur hiérarchique. Et vis-à-vis de l'inspecteur, n'en parlons pas ! Un comportement d'élève, alors que les élèves ne se comportent plus ainsi. Contredire ouvertement, par exemple, son supérieur hiérarchique en fournissant une explication claire semble une quasi-bizarrerie, un luxe, une excentricité, une rareté. On biaise, on cherche des voies obliques. Passer entre les gouttes, telle est et demeure l'ambition courante des professeurs. Pas vus, pas pris ! Il paraîtrait fort simple de réclamer le report d'un cours pour quelque raison personnelle avouable. Mais non : on use du camouflage, disant aux élèves qu'on ne viendra pas tel jour mais que mieux vaudrait le dissimuler à l'administration.

Je pense à maintes attitudes dont j'ignore s'il faut les qualifier d'infantiles ou d'irresponsables : la totale impossibilité d'obtenir que la porte d'une salle soit fermée et les lumières éteintes. Le besoin de se rallier à l'opinion commune, de se camoufler derrière elle : « Mes collègues étaient de cet avis... » C'est particulièrement net en conseil de classe. Tout à coup, un élève est présenté comme « insolent ». Personne n'a écrit qu'il était insolent, personne ne l'a puni pour insolence. Mais quelqu'un vient de s'écrier : « Untel est désinvolte, c'est inadmissible ! » Et soudain, la mayonnaise prend, tout le monde le juge désinvolte, ce garçon, irrespectueux, indésirable. Suit une plainte générale, entonnée par le chœur : maintenant, les élèves vous traitent comme ceci, vous prennent pour cela... Si vous essayez de revenir au réel, de vérifier les faits, de clarifier l'incident, tout s'évanouit, se dissout. Je m'aperçois que la brutalité d'une décision finale n'est parfois que le produit d'un « effet de boule de neige ».

Autre clameur familière : « Nous sommes désavoués ! » Inutile de siéger en conseil de classe puisque, ensuite, on est désavoué. Quelle sûreté de jugement, qui ne tolère d'être remis en cause par rien ni personne, sans s'estimer désavoué ! Le corollaire en est une phrase que je juge horrible : « Cela crée un précédent. » Lorsqu'il s'agit d'arrêter une décision audacieuse, beaucoup sont pour, sauf que cette décision risque « de créer un précédent ». Étrange besoin qu'éprouvent les professeurs de se réfugier derrière une solidarité subite, eux qui ne sont jamais solidaires entre eux, et de renvoyer les parents d'élèves à « mon collègue », lequel collègue se garde de confirmer les choses quand les parents le consultent. Jusqu'à ce que les parents me demandent :

« Finalement, de qui est-ce l'avis ? » Ainsi se refile-t-on la responsabilité, la repasse-t-on au chef d'établissement. Il la revendique, lui, donc on la lui repasse, c'est de bonne guerre...

A ces crispations rituelles s'ajoutent d'étonnants raisonnements concernant la vie pratique. Le même professeur se plaint de manquer d'argent pour ses dépenses d'enseignement mais s'insurge contre l'invasion du lycée par des groupes qui louent des salles. « C'est vraiment lamentable qu'on en soit réduit à devenir marchands de soupe, le petit Français a droit à l'éducation, le service public est un service gratuit, etc. » Et, derechef, mon interlocuteur exige une rallonge de son crédit d'enseignement, comme un gosse qui voudrait un jouet mais ne voit pas pourquoi son père s'en va travailler afin de gagner des sous.

Des exemples d'infantilisme individuel ou collectif, j'en ai plein ma besace. Par exemple, l'élection et le troc des bêtes noires. Ceux qui sont bons avec M. Untel sont fatalement bons à jeter aux chiens. On s'envoie des élèves à la tête. « Si tu me donnes Tartempion, je te donnerai Untel pour le passage en première... » Des affaires vieilles de cinq ans se réveillent toujours. J'entends parfois encore : « On a bien laissé passer Belenote ! » L'histoire date de plusieurs années et l'élève Belenote était notre valeur plancher. Aujourd'hui, elle est agrégée de l'Université, mais le refrain n'a pas disparu en conseil : « Puisqu'on a fait passer Belenote, on peut bien faire passer Tartempion. » Des arguments mi-d'humeur, mi-passionnels, mi-de règlement de comptes, qui permettent de prendre feu et flamme plutôt que de chercher des solutions simples qui tombent sous le sens.

En matière de discipline, certaines confidences aux élèves battent tous les records de candeur : « Je suis ici, mais ça ne me plaît guère, je préférerais ne pas être prof, c'est bien parce que je n'ai pas trouvé d'autre moyen de vivre, et d'ailleurs, je ne resterai après février que si je suis collé à mes examens. » Et l'auteur de ces fortes paroles s'indigne de n'être point considéré par son auditoire. D'autres profèrent des menaces terribles : « Je vais vous envoyer chez le proviseur, je ne vais pas tarder à vous envoyer chez le proviseur ! » Cela, ça marche à tous les coups ! D'abord, ils ne détestent nullement venir chez le proviseur, les élèves, et puis ils ont compris immédiatement que le prof est débordé par avance. Il n'est pas concevable que des adultes qui ont été élèves s'adressent en ces termes à des élèves. Il n'est pas pensable que des adultes — des éducateurs qui plus est — piquent des colères d'enfant, refusent de changer de salle pour une raison technique, paniquent dès qu'un détail de leur univers est altéré.

Il me semble que dans les entreprises, aux AGF ou chez Citroën, plus de gens se comportent en adultes. Les maîtres du technique que j'ai fréquentés agissent différemment de leurs collègues de l'enseignement général. Ils acceptent plus volontiers d'être coresponsables du bâtiment. Ils éteignent leur lumière et, à l'occasion, celle du voisin. Ils manifestent beaucoup de réalisme devant la vie quotidienne, les difficultés matérielles. Songez qu'un professeur de mathématiques peut menacer de ne pas faire cours parce qu'elle n'a pas « ses » trois chiffons pour le tableau — un qui sèche, un qui sert, un qui attend de servir. Nous connaissons même des sortes de scènes d'hystérie. A la SNCF, où mon père travaillait en équipe, on ne fonctionnait pas, on ne vivait pas ainsi, déconnecté. L'exercice du pouvoir, dans un établissement d'enseignement, c'est peut-être cela : une forme de quête du réel.

Mais le réel nous rattrape. Le processus de décentralisation dans lequel nous inscrivons actuellement notre action est à la fois source de préoccupations nouvelles et de nouveaux espoirs. Le législateur ne sachant comment introduire la décentralisation dans un domaine aussi complexe a inventé un fonctionnement triangulaire où préfet, recteur, président du conseil régional sont des partenaires dont les attributions paraissent bien définies dans les textes, mais créent sur le terrain une zone d'interférences où l'on ne sait qui va finalement l'emporter. Le principal, le proviseur se retrouvent au centre d'un triangle : pouvoir territorial, pouvoir de l'État en matière de pédagogie et pouvoir d'arbitrage du préfet.

Nos conseils d'administration sont devenus infiniment plus passionnants. La présence des élus, des représentants de la collectivité territoriale au conseil d'administration auprès de nous qui sommes représentants de l'État, représentants du ministre, représentants de l'inspecteur d'académie ; la présence également des parents d'élèves, des élèves qui sont aussi, par rapport à ces élus qui viennent travailler avec nous, des électeurs — autant d'innovations qui confèrent, enfin, une réalité au pouvoir du chef d'établissement, l'obligent à penser l'environnement proche.

Auparavant, nous étions entre nous. Le supérieur hiérarchique était aussi celui qui distribuait les crédits. Maintenant, il faut défendre son établissement scolaire auprès des élus car ces derniers commandent les cordons de la bourse. C'en est fini du mode de répartition mécanique, « équitable », mécaniquement équitable, que pratiquaient les rectorats. Que le meilleur gagne et que le proviseur sache vendre son projet, qu'il sache galvaniser ses troupes, que le conseil d'administration présente aux élus l'image d'une communauté qui travaille dans la joie, dans l'efficacité, qui réclame des moyens supplémentaires, mais pour concrétiser un projet précis, compris de la communauté locale ! Cela m'amuse beaucoup. D'autres rapports de force se nouent, d'autres langages s'inventent.

Des personnalités extérieures pénètrent chez nous mais, en contrepartie, nous-mêmes sortons à l'extérieur. Voilà quelques années, déjà, que je participe à la formation continue des personnels de l'Éducation nationale, ou à leur formation initiale. L'accueil des stagiaires qui se préparent au métier en centre pédagogique régional est à mes yeux une charge très stimulante. Mais aussi le recyclage des concierges, ou des lingères. Sans oublier les jurys d'examen. Lorsque le proviseur du lycée Fénelon est président d'un jury d'oral du concours d'agent-chef, il exerce dans le système éducatif un pouvoir qui est loin d'être fictif. Mal sélectionner les agents-chefs, c'est condamner les établissements scolaires à marcher de travers. Un agent-chef est un personnage capital. Il est préposé à l'organisation du travail des personnels de service, et nous dépendons tous de cette organisation. Un agent-chef sans bon sens peut ruiner une maison. Pour le coup, le pouvoir du chef d'établissement se trouverait considérablement réduit. La réponse à ce péril, c'est peut-être de sortir, de s'installer en amont, de devenir, au besoin, sergent recruteur.

Ces excursions hors du domicile professionnel n'en éloignent pas mais y ramènent. Encore importe-t-il, sur place, de conserver en tête le caractère provisoire de son mandat, de distinguer toujours entre ce qu'on est par soi-même et ce qu'on est par sa fonction. J'y songe, notamment, quand je suis reçue par les associations de parents d'élèves, quand on m'adresse tous les signes honorifiques attachés à la dignité de ma charge. Je me dis : « Attention, ne confondons pas, si tu déposes ton uniforme de proviseur de Fénelon pour une raison ou pour une autre, parce que tu pars à la retraite, ou parce qu'on a considéré que, dans l'intérêt du service, il convenait de te retirer ton poste, tu n'es plus rien du tout. Ces égards qu'on t'accorde disparaîtront aussitôt. Ils sont eux aussi accrochés au portemanteau, comme ta casquette de chef d'établissement. » N'empêche : malgré cet exercice d'hygiène mentale indispensable, tant que je parle comme proviseur de Fénelon, je mesure que mes propos ont du poids, et ce n'est pas désagréable. Vous aimez le pouvoir ? va répéter l'interlocuteur. Bien sûr. A ma petite échelle, je suis un décideur, et je me veux telle.

Je suis un décideur mais d'une espèce singulière. Le chef d'établissement évolue sur un terrain particulier, et miné. Il doit se situer au-dessus des rapports de force ordinairement à l'œuvre dans les institutions d'une démocratie. A présent que la dimension politique traverse écoles et lycées, il lui est indispensable de se garder à gauche et à droite. Ce n'est pas toujours facile. Il a des opinions, bien sûr, il a des préférences ; il s'interdira de les laisser paraître dans l'exercice de son métier, de la même manière que ses autres convictions, religieuses, par exemple. Opinions, convictions, tout cela restera soigneusement enfermé, verrouillé, afin que soit garantie la sérénité requise au sein de la fonction publique. Un fonctionnaire, pour moi, c'est quelqu'un qui n'a pas partie liée, qui n'a de connivences et de complicités que de type éducatif, de type partenarial, pour une meilleure marche de la communauté scolaire qui lui est confiée. Cela induit le renoncement aux liens privilégiés, aux liens d'amitié avec l'un de ses collaborateurs, l'un de ses professeurs, *a fortiori* un élève. Au-dessus de la mêlée, on s'abstient des confidences, des proximités trop personnelles, qui conduiraient forcément à une confusion des genres. On s'impose le respect draconien d'une solitude statutaire.

Parfois, la tension est trop vive, il faut s'échapper, un peu comme le curé d'Ars courait au bout d'un champ après ses séances au confessionnal. L'exercice du pouvoir vous vide, vous épuise. Il faut alors disparaître, devenir insaisissable pendant un temps. J'ai besoin, à certains moments, d'antidotes : le sommeil, la musique, la promenade en autobus (l'autobus m'aide beaucoup à retrouver le calme), les amitiés, et puis la cuisine. Quand je n'en peux plus des responsabilités, quand je rumine : « Je n'arriverai à rien, ce bahut, je ne le changerai jamais, la mentalité y est toujours la même, avec cette pesanteur historique, cet individualisme contre lequel je me cogne inutilement », je m'installe aux fourneaux : deux heures après, je refais le plus beau métier du monde. Il arrive qu'on pleure à la fois parce qu'on détient des pouvoirs excessifs, et donc des responsabilités écrasantes, et parce qu'on a le sentiment d'être désarmé, impuissant, piétinant sur place.

Une communauté scolaire, c'est comparable aux spaghettis : juste au moment où vous ouvrez la bouche pour les engloutir, les voilà qui retombent ; vous croyez que c'est bien enroulé, qu'il n'y a plus qu'à avaler et digérer, plouf ! ça se déroule, ça retombe dans l'assiette. Reste à recommencer.

6. Questions d'ordre

Où madame le proviseur
s'efforce de préserver la discipline

La discipline, à lire mon collègue de Louis-le-Grand [1], serait une affaire aisée. Je ne l'ai jamais, pour ma part, pensée ni vécue telle. Au point que, l'ayant plusieurs fois abordée par allusions, je crois nécessaire d'y revenir. C'est là que s'articulent — plus ou moins bien — les divers acteurs de la machine scolaire : direction, maîtres, élèves, parents. Encore convient-il de préciser qu'aucune de ces composantes n'est homogène. Même la direction. On parle abondamment, dans les circulaires et rapports, d'« équipe de direction ». La réalité est plus nuancée, sinon radicalement autre : un agglomérat d'individus. Il y a des conseillers principaux d'éducation qui conçoivent leur métier d'une certaine manière et l'ont appris dans des conditions multiples, voire opposées. Il y a un proviseur adjoint, dont l'existence interroge nécessairement le proviseur sur l'art si difficile de déléguer des pouvoirs et de garantir simultanément l'unité politique de l'établissement. S'y ajoute un second casse-tête : l'application d'un règlement intérieur présuppose un

1. Paul Deheuvels, *L'excellence est à tout le monde*, Robert Laffont 1988.

accord au sein de l'« équipe de direction », puis du conseil d'administration, enfin de chaque individu. Ce qui n'est jamais acquis, sûrement pas donné, en tout cas au départ.

Au début de ma carrière, le « chahut » ressemblait passablement à celui que j'avais connu (et guère hésité, d'ailleurs, à mener). Une expresion anglaise dit : « Ce n'est pas la peine d'enseigner à votre grand-mère à gober les œufs. » A l'époque, cette expression résumait convenablement la situation. Et même aujourd'hui, je pense qu'avoir été une élève turbulente me donne plus d'imagination pour discuter avec les élèves.

J'étais excessivement libre dans mon comportement en classe ; j'intervenais quand j'en avais envie, au point que le professeur de mathématiques de cinquième m'apportait des caramels afin que ma mastication permît aux autres de participer au cours. Ce n'était pas du chahut, en l'occurrence, mais un débordement d'activité.

Je manifestais bruyamment mes opinions, y compris par la contestation. Je me rappelle qu'un professeur avait traité avec beaucoup de désinvolture une élève de seconde qui s'était offerte à plancher sur le MRP [2]. Elle lui avait dit (ironisant sur les préceptes de l'Église) : « Naturellement, vous appartenez à une famille nombreuse... » Je m'étais levée, avais protesté qu'il était courageux de faire un exposé sur le MRP, qu'elle n'avait pas à dresser de procès d'intention et moins encore à formuler des critiques de caractère personnel. Mais, outre ces querelles d'opinion, j'avais tant le souci d'être populaire et d'être chef de classe

2. Mouvement républicain populaire : à l'époque, le parti démocrate-chrétien français.

que j'achetais ma popularité à grands coups de manifestations spectaculaires. En sixième, je me laissais tomber de ma chaise. J'allais au tableau et éclatais de rire. Le professeur questionnait : « Qu'est-ce qui vous fait rire ? — Votre nez, mademoiselle. — En ce cas, retournez à votre place car je crois que c'est insoluble. » Et l'on me mettait dehors...

Élève, je repérais très bien quels étaient les professeurs qui allaient être débordés : en gros, les trop gentils et les trop fatigués. Mais, actuellement, je ne risquerais plus un pronostic. D'abord, parce que je constate que des enseignants expérimentés, dont la carrière est exempte de troubles de cette nature, se découvrent fragiles face à la nouvelle génération d'élèves. Ensuite, parce que des phénomènes plus complexes sont à l'œuvre, notamment les effets pervers de la saturation des élèves dans un contexte économique qui éveille chez eux maintes inquiétudes. Ils se sentent happés par une véritable surenchère, et leur âpreté au gain scolaire devient extraordinaire. Dans ce contexte, se trouvent en difficulté des professeurs qui n'apparaissent plus suffisamment « rentables » aux élèves, qui ne vont pas assez vite, qui ne donnent pas assez de devoirs, dont on suspecte *a priori* la compétence.

A Fénelon, par exemple, tout nouveau maître est étiqueté incompétent, et il a donc droit à une période de bizutage d'une année, pendant laquelle il est placé sous surveillance de la part des élèves et des fédérations de parents d'élèves — lesquelles fournissent une caisse de résonance à ces conflits croissants et complexes entre élèves et professeurs. Le phénomène de réfraction que suscitent les parents d'élèves complique l'interprétation des signes par le chef d'établissement. S'il s'agit d'un rejet individuel, le mystère a de bonnes chances d'être percé — ce qui n'implique pas qu'il soit facile de dénouer la crise. Si la levée de boucliers est collective, le diagnostic est plus difficile, et le remède incertain. On est assez démuni lorsqu'une classe entière se braque contre un professeur.

Pour le moment, j'avoue que c'est un domaine où je ne vois pas clair. Je procède au coup par coup en m'appuyant sur un règlement intérieur qui vaut ce qu'il vaut. A Fénelon, je l'ai déjà mentionné, la règle du jeu est la suivante : les professeurs, après avoir rappelé à l'ordre des élèves, ont le droit de leur infliger trois avertissements par écrit. Au troisième avertissement, l'élève est frappé d'une exclusion de deux jours. Le texte du règlement intérieur stipule que la sanction suivante est le conseil de discipline. Nous nous sommes aperçus à l'usage que, jusqu'au stade de l'exclusion de deux jours, le système fonctionne assez bien, compte tenu que ce sont les mêmes professeurs qui mettent les avertissements et toujours les mêmes élèves qui les reçoivent. Nous avons même vérifié statistiquement la corrélation, chez les enseignants, entre le taux de distribution d'avertissements et celui des absences perlées non justifiées. Un cercle vicieux paraît se dessiner : est-ce parce qu'ils sont fatigués qu'ils infligent beaucoup d'avertissements ou bien, débordés par la présente complexité des relations avec les élèves, se reposent-ils de temps en temps, prenant deux jours d'absence ? Une chose est certaine : ce sont des gens qui sont saturés par le métier, dégoûtés, et qu'il faudrait pouvoir aider de manière efficace, éventuellement en leur proposant une bifurcation professionnelle.

Les cas graves sont limités aux classes secondaires. Les seules punitions données dans les classes préparatoires sont liées à des problèmes d'assiduité. Mais, dans le second cycle, la situation est fréquemment tendue et je note que les maîtres les plus exposés sont les professeurs de langue. Ils détiennent la palme des sanctions et ont la vie plus dure encore que leurs collègues. A l'opposé, ceux qui sont le moins en difficulté enseignent des disciplines scientifiques. Entre ces deux catégories, je situerais un certain nombre de dames, âgées, en assez mauvaise santé, inconsolables de l'introduction de la mixité, qui étaient habituées aux petites filles sages du lycée — sages parce qu'elles appartenaient à une génération bien plus sage — et qui ne se sont jamais remises de ce choc. Elles sont assez proches de la retraite et s'imposent encore car leur compétence, l'intérêt qu'elles portent à l'enseignement leur permettent de garder les choses à peu près en main, mais elles se heurtent à des manifestations d'hostilité de plus en plus fréquentes et collectives plutôt qu'individuelles.

Moi qui suis angliciste, je souffre particulièrement de voir mes collègues peiner autant. A cela, plusieurs raisons. D'abord, les mécanismes de l'orientation font que les langues vivantes ne jouent jamais un rôle déterminant. Deuxièmement, les élèves, en cours de langues, sont regroupés sur plusieurs divisions à cause du jeu des différentes options de première langue. Ce rassemblement épisodique leur offre une sorte d'impunité ; ils chahutent puis disparaissent. Enfin, il faut considérer un argument que j'avais tendance à rejeter il y a quelques années : actuellement, avoir 40 élèves en cours de langues vivantes, c'est se retrouver dans la quasi-impossibilité d'utiliser les modes de transmission du savoir moderne, magnétophones, images, etc., d'autant que l'hétérogénéité des classes complique encore la tâche. Et puis l'enseignement linguistique est parfaitement révélateur du décrochage des contenus. Les élèves ont acquis une maturité assez prononcée, ils sont habitués à traiter des sujets d'actualité, la télévision leur parle comme à des adultes (en tout cas ils le croient). Or, vu leur peu de moyens au départ, on est amené à régresser complètement par rapport à leurs centres d'intérêt. Aux débutants, on enseigne comment disposer la table ou que, lorsque papa est dans le jardin, maman est à la cuisine en train d'éplucher les légumes. Ce discours les barbe, leur semble niais, et ils refusent d'apprendre les langues vivantes par ce biais-là. Et j'avoue qu'à mes yeux, du point de vue des méthodes, l'enseignement français m'apparaît plus ringard dans ce domaine qu'en tout autre, source de fatigue pour les enseignants et de désintérêt pour les élèves.

Reste que le facteur discriminant est le mode d'orientation. Plus les jeunes sont saturés de mathématiques et de sciences physiques, plus ils se révèlent odieux en langues vivantes ou ailleurs. De surcroît, une sorte d'idée récurrente court dans la tête des parents aussi bien que dans celle des enfants : on va rattraper le handicap par un séjour à l'étranger... J'ai beau essayer d'expliquer aux scientifiques que les épreuves qui les départageront au concours sont le français et les langues vivantes, je fais chou blanc, on ne m'écoute guère, et les maîtres des disciplines de « seconde zone » continuent d'être expédiés au casse-pipe.

Alors, on exclut l'élève deux jours. Ce qui ne va pas sans paradoxe, ni sans frôler le comique, surtout quand on inflige une exclusion de deux jours pour cause d'absentéisme. Je m'efforce de justifier la mesure par la théorie homéopathique mais ils ne sont pas dupes, ni moi non plus. Toutefois, l'exclusion de deux jours demeure quelque chose qui atteint et la famille et l'élève. Autant les potaches aiment sécher et rusent pour se faufiler à travers les mailles du règlement en matière d'assiduité, autant ils supportent douloureusement d'être déclarés indésirables dans l'établissement les 26 et 27 février. Mais il faut vraiment que tout le monde joue le jeu, qu'on ait tenu une bonne comptabilité des avertissements, que le condamné n'ait pas attendri la conseillère principale d'éducation, lui soutirant une remise de peine. Il faut que ce soit très cohérent et je dirais même très mécanique.

Le plus paradoxal, le plus cocasse, c'est l'élève qui vient quand même, alors qu'il est exclu, et persuade le professeur ému ou complice de l'accepter. Certains, touchants, demandent : « Est-ce que je peux venir pour l'interrogation écrite ? » Cela, c'est la question classique et perfide. D'autres — les seuls qui m'attendrissent — réclament le droit de participer aux repas. « Puis-je au moins déjeuner durant mon interdiction de séjour ? » Ma pente est de répondre oui, mais la conseillère d'éducation objecte : « Madame, ne vous plaignez pas que, par inadvertance, il assiste au cours de 2 à 3 si vous l'autorisez à déjeuner ! » Pas si simple que ça...

Il faut aussi réussir à faire parvenir l'avertissement aux parents d'élèves. C'est incroyable le nombre d'exclusions de deux jours qui n'ont jamais alerté les familles. Le courrier marche mal en France, tout le monde le sait ! Et, à supposer que les PTT ne nous trahissent pas, il convient encore de prévenir des arguments d'une subtilité confondante. Voilà peu, un garçon du secondaire a plaidé dans mon bureau : « Mais enfin, madame, vous n'allez pas me coller deux jours ? Vous vous êtes rendu compte, au premier trimestre, à quel point j'étais nul ; je remonte un peu, si je ne suis pas là pendant deux jours, tout est fichu, mon bulletin du second trimestre va être aussi mauvais que celui du premier. » Et il suppliait, il suppliait...

Après l'exclusion de deux jours, on est coincé : l'étape suivante est le conseil de discipline. Ce qui nous enferme dans des situations ambiguës. Parce qu'un élève braille en apostrophant un de ses camarades et qu'un professeur lui a donné un avertissement, la loi de l'accumulation peut transformer cet incident mineur en déclenchement d'une convocation devant le conseil de discipline — un tribunal très solennel, encore que les élèves sachent fort bien l'utiliser, le récupérer, mais où l'on ne saurait traîner quelqu'un simplement parce qu'il a éternué trop bruyamment et que la règle de trois s'applique aveuglément. Pour éviter ces enchaînements maléfiques et dérisoires, nous créons une étape intermédiaire après l'exclusion de deux jours. Nous réunissons la conseillère principale d'éducation, le professeur plaignant, les parents et l'élève, nous essayons d'approfondir les raisons du *casus belli*, puis nous proposons un contrat moral, un engagement à terminer l'année de telle ou telle manière, prévenant qu'à la moindre faute le bras séculier sévira. Cette séance de concertation, de conciliation, se révèle généralement efficace et nous épargne un conseil de plus. La stratégie de la dissuasion nous prémunit contre les collectionneurs de sanctions, les experts du système.

Je le juge assez sain, ce système, à condition que personne n'en abuse et que les menaces soient graduées. Bien appliqué, les élèves le manient correctement. Il y a les spécialistes des trois avertissements par an, qui se débrouillent pour ne pas franchir la frontière. Il y a également ceux qui poussent le système jusqu'au conseil de discipline, pour voir, pour faire marcher la machine.

A l'issue du conseil de discipline, deux cas de figure sont concevables. Il se peut que l'élève soit réellement en rupture scolaire pour diverses raisons qui apparaissent désormais plus clairement ; nous devons chercher à la fin de l'année scolaire une solution extérieure. Je n'ai jamais mis un élève dehors en cours d'année, cela me paraît indigne du système scolaire. Aucun prétexte, à mes yeux, ne justifierait pareille extrémité, sauf si l'élève apparaissait dangereux pour la communauté. En revanche, prendre des précautions pour l'année suivante ou parce que l'élève à réellement besoin d'un changement — d'établissement ou de système — voire d'une interruption dans la scolarité, le conseil de discipline peut en prendre acte.

L'autre cas de figure est celui de l'affreux Jojo qui a voulu tout expérimenter du système éducatif, explorer l'arsenal des sanctions et regarder fonctionner un groupe d'adultes dont il repère instantanément les failles. Celui-là, en conseil de discipline, tient un rôle très actif, place tout le monde devant ses responsabilités. Normalement, l'année suivante, il est en très bonne santé scolaire, à condition que nous ayons réussi le test. C'est, finalement, nous qui subissons l'inspection. Je confesse que j'aime bien ces gens-là, ces gosses de première qui nous étudient très soigneusement et risquent l'aventure. Ils arrivent flanqués d'un avocat qui a bien préparé son affaire, relèvent les contradictions de notre discours, n'hésitent pas à mettre en cause l'accusateur (parfois avec beaucoup d'habileté malgré les difficultés du genre : les professeurs n'aiment guère qu'on rejette la responsabilité sur le professeur plaignant). L'année d'après, l'atmosphère est assainie et la terminale bouclée dans d'excellentes conditions.

J'ai gardé le souvenir de plaidoiries extraordinaires. Je me rappelle un élève de première, un petit Américain très astucieux qui défendait son camarade. Son ultime argument ressemblait à ceci : « Étant donné la valeur de la communauté scolaire que représente le lycée Fénelon et les difficultés qu'éprouve l'accusé pour observer un règlement et devenir un élève docile, vous n'aurez pas le cœur de le priver du rôle éducatif que joue le lycée Fénelon. Le renvoyer, ce serait lui ôter sa chance de s'améliorer. Il est évident que Fénelon, c'est très bien — nous sommes tous d'accord sur ce point-là : non seulement on y reçoit de l'instruction, mais encore une éducation raffinée, qui favorise le développement de notre personnalité. Ce conseil de discipline en est la meilleure preuve : on s'intéresse réellement aux gens. Vous mesurez quel chemin mon camarade a encore à parcourir, c'est ici, de toute évidence, qu'il peut le parcourir efficacement. » Et c'était dit avec un petit accent ravissant ! L'avocat s'est appliqué à ne commettre aucune faute de français, et avait à cette fin rédigé sa plaidoirie. Vous imaginez bien que l'argumentation a fait mouche : nous avons gardé en notre giron l'accusé, puisqu'il avait tant besoin de nous pour s'épanouir...

Il m'est également arrivé de tomber d'accord, non sans quelque gêne, avec le défenseur d'une élève — qui se trouvait être son pédiatre —, un peu psy, une femme extraordinairement pittoresque, qui appelait sa patiente « ma chérie » (ce qui troublait beaucoup les professeurs) et est arrivée vêtue d'une grande cape dont elle tirait le meilleur effet, occupant ainsi le maximum de terrain. Elle apostrophait la fille : « Tu vois bien, ma chérie, que pour être à l'heure il ne suffit pas que tu prennes un taxi, qu'il faut encore que tu partes à l'heure ; je te l'avais bien dit : la solution est dans ta tête ! »

Puis, tournée vers le professeur plaignant : « Mais, madame, je crois que les plus grandes difficultés se trouvent dans votre tête à vous. Je voulais d'ailleurs vous dire que si vous souhaitiez être aidée, ma formation psychanalytique me permettrait sûrement de vous apporter un secours. » Et moi, je songeais : « Il y a sûrement pas mal de choses justes là-dedans, mais c'est tout de même très difficile à formuler lors d'un conseil de discipline. » Pour comble, je savais que, parmi les deux professeurs présents, l'un était amplement de cet avis, et qu'il savait que je l'étais aussi. Nous savions l'un et l'autre que notre opinion transparaissait...

Dans tel autre conseil de discipline, nous avons vu, tout à coup, avocat et accusé sortir d'une besace gobelets et bouteille thermos, puis partager quelque mystérieux reconstituant dont certains prétendent qu'il était parfumé — sans discrétion — au rhum !

Les défenseurs sont parfois déroutants, mais les plaignants aussi. Par exemple, ce professeur dont le carnet de notes avait été saboté pendant un interclasse. Les élèves avaient complètement rectifié le relevé et avaient généreusement distribué des bonnes notes, y compris aux absents. L'épisode a déclenché des conseils de discipline en série, puisque les fautifs étaient légion. Il a fallu un commando pour opérer ce sabotage, une organisation, un chef, des exécutants, un guetteur. Cinq présumés coupables se sont retrouvés sur la sellette mais les élèves se sont arrangés, unifiant leurs dépositions, pour en disculper deux d'entrée de jeu, la responsabilité des trois autres semblant inégalement engagée. Tous trois ont joué l'élégance, ont fait preuve d'une admirable solidarité. Le chef était très intelligent, à trois pointures au-dessus du professeur.

Il y a eu mieux — ou pire : un « procès » en l'absence de l'accusé. Ce dernier, fils d'un ancien ministre, avait à trois reprises hurlé dans la rue le nom d'un de ses professeurs, ce qui a fini par l'amener devant le conseil de discipline. Mais l'heure des vacances avait déjà sonné pour sa classe lorsque nous nous sommes réunis ; il était parti et c'est... son père, homme politique notoire, qui l'a remplacé dans le box. Ce fut une séance grandiose. Nous avons entendu un monologue digne de Jules César dans Shakespeare : « Vous êtes, vous, enseignants, des gens que je respecte infiniment, vous êtes ceci, vous êtes cela, mais je vous adjure de ne point punir ma progéniture... » Un régal.

Nous avons, une fois, été contraints de convoquer un garçon qui, étrangement, justifiait ses absences par des certificats médicaux, alors qu'on ne lui demandait rien, sinon des excuses. L'abondance de documents à en-tête qu'il produisait a fini par alerter la conseillère principale d'éducation. Elle s'est aperçue que le gosse s'était procuré, auprès d'un imprimeur, un modèle portant le nom et l'adresse d'un médecin qu'il photocopiait autant que de besoin et même un peu plus. Et il nous abreuvait de faux. Instruisant le dossier, nous avons découvert qu'il s'agissait d'un cas très douloureux. Ce garçon était un ancien élève de Louis-le-Grand où, paraît-il, on doit justifier ses absences par certificats médicaux. Il était sorti extrêmement amer de l'échec relatif qu'il avait subi là-bas et connaissait une vie familiale fort difficile : une mère remariée, un beau-père très dur. C'est ce dernier, du reste, qui a levé le lièvre en conseil de discipline : « Je vous demanderai l'indulgence parce que je me rends compte aujourd'hui que ses comportements canularesques, excessifs et sournois, c'est moi qui les ai déclenchés en ne l'autorisant jamais à s'expliquer avec moi, en me montrant excessivement intransigeant sur le plan scolaire. » Ce garçon est finalement reparti faire une khâgne à Louis-le-Grand parce qu'il avait un compte à régler, un contentieux à vider avec le système propre de nos voisins. Il était attachant, ce gosse, complètement imprévisible. Par exemple, il séchait les cours auxquels il était normalement convié, mais suivait à la même heure ceux d'autres professeurs de la maison, pas forcément pour en tirer un réel profit, mais pour s'y faire remarquer. Il fallait absolument qu'il attire l'attention, fournissait une carte d'élève falsifiée, se prétendait déjà hypokhâgneux quand il était en terminale, etc.

Au fond, le conseil de discipline contribue à assainir l'atmosphère. Les problèmes de discipline les plus rebelles ne sont pas ceux qui lui sont soumis : c'est l'insolence, l'instabilité, la tentative d'usure constante et acharnée menée par trois ou quatre élèves ou par la classe tout entière contre un enseignant. Ainsi, l'année dernière, un professeur qui était très fragilisé a cru bon d'avertir ses ouailles : « J'espère que, pour le 1er avril, vous ne me jouerez pas de tour. » Ils se sont naturellement sentis obligés de justifier ses craintes et ont fait éclater dans la classe quelques chapelets de pétards. Fatalement, l'un des perturbateurs a été repéré. Je me suis insurgée :

— C'étaient des pétards relativement dangereux !

Eux, assez froidement :

— Non, ils ne peuvent pas tuer ; au pire, s'ils éclatent trop près de vos oreilles, vous risquez de devenir sourd.

— Mais un professeur d'anglais, si vous le rendez sourd, outre l'atteinte à sa personne, vous l'empêchez de poursuivre son métier.

— Ce ne serait pas un mal, ça désinfecterait un petit peu le lycée ; éloigner du métier la prof, ce serait un service à rendre aux générations futures.

Ils s'exprimaient avec une espèce de hargne dont les attendus étaient : Mme Unetelle n'est pas efficace, elle ne nous prépare pas à l'examen, nous n'aurons pas de bons dossiers, elle s'ennuie avec nous et nous plus encore avec elle. Quand le contentieux revêt de telles proportions, la situation est quasiment désespérée.

Or, on ne voit pas toujours le danger venir. Je songe à une collègue qui a derrière elle une carrière brillante, présentement bénéficiaire d'un mi-temps thérapeutique. Elle punit beaucoup, pour « insolence », pour « arrogance », pour « bruit », pour « agitation ». Franchement, je ne comprends absolument pas. Voilà quelqu'un dont la compétence est incontestable, qui enseigne les mathématiques, discipline respectée, et qui n'est plus maître à bord. J'ai beau travailler au corps les élèves pour obtenir quelques explications, le mystère ne se dissout pas.

Je suis persuadée qu'aujourd'hui ne résistent que les enseignants dont la cuirasse n'offre presque aucun défaut. On exige d'eux qu'ils soient parfaitement recyclés sans leur en offrir les moyens ni le loisir ; il faut qu'ils soient au courant de tout, qu'ils soient drôles, qu'ils soient beaux, qu'ils aient un « super look », qu'ils ne vieillissent pas, qu'ils traitent l'intégralité du programme, etc.

Avant même la rentrée, élèves et parents se sont déjà formé une idée du programme et de la manière de l'aborder. En septembre dernier, un parent d'élève a déclaré dans mon bureau : « J'ai épluché pendant mes vacances les sept manuels disponibles en physique, et je vous signale que M. Untel a choisi le moins bon. Ce n'est pas étonnant qu'il ait des difficultés... » Le jour même de la rentrée, quand le professeur a donné le titre du manuel retenu, le gosse était donc informé que, selon les critères consuméristes de son papa, le prof partait avec un rude handicap. Les professeurs sont tôt étiquetés. Il faut qu'ils donnent tant de devoirs, il faut qu'ils fournissent la liste des textes de français de première à telle date. S'ils adoptent une autre manière de travailler, ce n'est pas recevable. Il faut qu'ils produisent énormément, qu'ils corrigent beaucoup : les usagers s'abandonnent à la manie des notes et des corrections ; depuis qu'ont été abolies les compositions trimestrielles, on demande aux professeurs de donner des devoirs et des interrogations écrites à longueur de jour ! Combien de professions exigent autant de compétence, avec si peu de secours ?

J'aimerais que se constituent des cellules de conciliation, de concertation, de soutien, de réconciliation même. J'aimerais que, comme dans beaucoup d'autres secteurs, les enseignants puissent parler de leurs difficultés ; qu'on prévienne une situation au lieu de la laisser se dégrader, qu'on propose une aide à temps. D'autant que les maîtres sont assez souvent lâchés par leurs collègues : quand, en conseil de classe, les élèves insinuent que, dans la matière considérée, la discipline laisse à désirer, les profs retirent aussitôt leur épingle du jeu. Ils préfèrent ne point entendre parler du péril qu'ils redoutent et préfèrent que celui qui en est victime se débrouille tout seul, et en silence.

Je ne parle évidemment pas des gens qui débarquent sans compétence, sans formation, sans goût aucun ni pour le métier ni pour la spécialité qu'ils enseignent. Paradoxalement, je crois qu'un des facteurs d'accroissement des difficultés touchant au maintien de l'ordre est l'amour que le professeur porte non pas aux élèves ni à l'enseignement, mais à sa discipline. Cette passion exclusive suscite des amertumes terribles de part et d'autre. Les professeurs ont élu la discipline qu'ils enseignent et ne comprennent absolument pas que leur inclination ne soit point partagée. Il est surprenant de constater combien nombre d'entre eux sont littéralement coiffés de leur discipline. Ils adorent la géographie ! Moi, je les interroge : « Pourquoi voudriez-vous que les gosses éprouvent la même passion que vous ? » Je crois déceler là, dans la façon dont on prépare les maîtres, un malentendu considérable. On leur laisse croire qu'ils pourront transmettre tout ce qu'ils ont appris et il n'en est rien. Mille autres tâches les absorbent dans la classe.

La formation délivrée aux enseignants néglige de leur inculquer d'indispensables connaissances préalables à toute transmission de contenus. Savoir repérer le gosse qui ne supporte plus de rester tranquille, savoir qu'un jeune est désormais incapable de rester immobile durant cinquante-cinq minutes et préparer l'antidote, varier les exercices... Les professeurs de lettres supérieures observent depuis trois ans que les élèves ne peuvent plus demeurer assis. Cette révélation a été pour eux cause d'un choc profond, d'un séisme. Je me rappelle ce conseil de classe où un professeur de latin s'est exclamé : « Il n'est pas mal ce garçon, mais il se gratte pendant les cours. » « Il se gratte pendant les cours », c'était signifier que l'élève n'était plus un pur esprit, mais aussi un corps, des jambes, des étirements, des bâillements. Les élèves des cuvées récentes ne sont plus censurés par leur éducation, donc ils se grattent ; comment travailler sans intégrer cette donnée ? Cela dit, je n'ai nullement la prétention de faire la leçon aux professeurs. Les élèves sont les premiers à me dire dans mon bureau : « Vous vous adressez à nous l'un après l'autre : c'est facile. Tandis que les profs, eux, doivent nous parler à tous en même temps, bons ou mauvais. Vous, vous avez de la chance ! »

Les problèmes des enseignants, je n'ai ni la prétention ni le pouvoir de les résoudre à leur place. En revanche, il est de mon pouvoir d'ouvrir ma porte et de faire savoir qu'elle est toujours ouverte. A Fénelon, les nouveaux venus sont encouragés par les anciens à transgresser le réflexe de repli, d'enfermement qui prévaut trop souvent. Il n'existe certes pas de potion miracle. On a la possibilité de subdiviser les groupes en deux pour certaines heures, mais on s'aperçoit vite qu'avec cette technique on gagne quinze jours pour bientôt retrouver la même situation en deux exemplaires. Le phénomène de rupture de l'équilibre disciplinaire n'est que partiellement lié au nombre. En langues, la réduction des effectifs allège le travail, mais ailleurs l'expérience n'est guère concluante — contrairement à ce qui s'écrit beaucoup.

Pourquoi viennent-ils me parler, les professeurs mal à l'aise ? D'abord, je crois, pour s'assurer que mon amour des élèves ne m'entraînera pas jusqu'à supprimer les avertissements distribués. La chose n'est pas acquise ; l'administration doit démontrer sa cohérence et sa bonne foi. On se méfie également de l'assistante sociale, prompte par définition à invoquer diverses circonstances atténuantes familiales. Tel est le mobile initial : contrôler que l'administration joue le jeu, ne tient pas deux discours. Alors, mais alors seulement, il est possible de parler, de réclamer un soutien, un geste de solidarité, notamment vis-à-vis des parents d'élèves. Les maîtres attendent beaucoup de moi : que je leur procure une zone de tranquillité, que je dresse un barrage entre eux et les parents, que j'accomplisse la navette inévitable entre les professionnels et les usagers.

J'espère qu'ils viennent aussi parce qu'un pacte de confiance a été progressivement conclu, fragile, constamment remis en question, et probablement pas unanime : tous les professeurs n'ont pas la même opinion à mon sujet. Mais je crois, j'espère que la plupart estiment trouver dans mon bureau quelqu'un qui admet que le métier est devenu difficile et qui entend sans ironie le récit de cette difficulté. Après avoir écouté, je tente, je cherche du côté des élèves une sorte de compromis, une espèce de *gentleman's agreement* ainsi formulé : d'accord, vous vous exprimez, on vous entend, le professeur et moi, on ne considère pas que vous avez tous les torts *a priori*, ce n'est pas le pot de fer contre le pot de terre ; maintenant, force est d'imaginer un *modus vivendi*, d'inventer des petites ficelles, des petites astuces qui amélioreront les affaires en sorte qu'on évite le naufrage collectif d'ici la fin de l'année. Une solution de survie. Je fonce dans les classes, avec l'accord du professeur, rencontrer en sa présence ou non la totalité des élèves si nécessaire, ou, dans certains cas, seulement les délégués.

Je ne laisse jamais une situation qui s'est dégradée s'enliser dans le non-dit. « Surtout pas de vagues, pas de bruit ! » : je ne puis supporter cette rengaine. Peut-être serait-ce, à l'occasion, une meilleure politique. Il est certain que remuer les choses, laisser les élèves s'exprimer, y compris par écrit, ce n'est guère simple à manipuler, c'est lourd de dérapages virtuels, d'excès potentiels, de risques d'atteinte aux garanties dont jouit le fonctionnaire. Pourtant, ma règle de conduite est que les contentieux soient formulés et par le professeur et par les élèves, puis qu'ils soient mis en présence, et qu'un essai d'arbitrage soit entrepris par le proviseur et la conseillère principale d'éducation.

Tout ne mène pas forcément au drame. Voici un exemple de réussite : il s'agissait d'une classe très agitée, désagréable, refusant toute participation lors d'un cours de discipline littéraire, refusant aussi de rendre les devoirs à une date précise ; bref, manifestant une hostilité d'abord latente puis déclarée. Le professeur concerné vérifie bientôt que les punitions éparses demeurent sans effet et se tourne vers l'équipe de direction. Nous réunissons la classe. La conseillère d'éducation, le professeur et moi constatons, en effet, qu'y règne l'infantilisme collectif. Diagnostic après examen : les élèves ne se jugeaient pas assez aimés. Le professeur leur avait dit qu'ils étaient quasi sous-développés par rapport à la classe parallèle, et la querelle était partie de là. Ils souhaitaient que nous reconnaissions qu'ils n'étaient pas plus bêtes ; que la TA2, par rapport à la TA1, n'était point un conglomérat de déchets, de pièces rapportées. Redoutant le jugement, la classe anticipait, agissait en sorte que l'opinion négative soit confortée. Au terme de l'explication générale, le professeur leur a adressé une déclaration d'affection, les élèves ont vu que l'état-major du lycée s'était déplacé en leur honneur, et la tension a commencé à décroître.

Mais un dur de dur s'entêtait à débiter son rôle : « Le professeur nous déteste, et il a raison parce que vous êtes les déchets de la nation. D'ailleurs, moi, je suis au-dessus du lot, je suis un futur écrivain, je me fous des examens, etc. » L'orateur s'est fait moucher publiquement, et je lui ai fermement suggéré un entretien en tête à tête dans mon bureau. Dès qu'il a cessé d'être considéré comme le héros de la classe, les pendules ont été remises à l'heure, le travail a redémarré. Ceux qui étaient bons sont restés bons, ceux qui étaient mauvais sont restés mauvais, il ne s'est produit nul miracle, mais l'ambiance a été complètement transformée — et les punitions ont disparu.

Le récit d'un échec, maintenant. Une classe de littéraires ne veut plus entendre parler de mathématiques et le dit au professeur : « On ne vous demande rien, faites vos affaires dans votre coin, nous ferons les nôtres sans vous déranger, mais qu'il ne soit plus question de mathématiques au-delà du premier rang... » Riposte classique, punitions — je décide d'observer les choses de plus près. Le spectacle valait le déplacement. Une fille ne circulait que sur patins à roulettes, certains élèves arrivaient vingt-cinq minutes après la sonnerie, le tout dans un climat de kermesse hilare et agitée. J'ai dû moi-même hausser le ton pour parvenir à capter l'attention du public. Les négociations se sont engagées et il a été décidé de scinder la classe en deux groupes : un groupe de forts réellement désireux d'apprendre les mathématiques, et un groupe moins déterminé, qui s'engageait cependant à tolérer le professeur, à exécuter de petits exercices adaptés à son niveau — il recevrait une sorte d'initiation aux mathématiques intégrant une dimension historique et donc susceptible de servir en philosophie. Bilan : on les a pris là où ils étaient, mais le charivari subsiste, les retardataires demeurent nombreux, comme les punitions, dans l'un des deux groupes.

Lorsque la cohabitation devient pénible à ce point, il faudrait assister au cours pour comprendre, mais ce serait désastreux quant à l'autorité du professeur. A un tel stade, mes munitions sont épuisées. Je sais seulement qu'à 20, les chahuteurs seront un peu moins actifs et bruyants qu'à 40. Le premier groupe fonctionne vaille que vaille et le second, du point de vue du volume sonore, dérange moins les voisins. C'est tout ce que j'ai gagné. Je compte les élèves en pieds : ils sont passés de 80 à 40 pieds, soit une considérable réduction de décibels agressifs. Mais au fond rien n'est arrangé, le professeur n'est pas heureux. C'est une manière d'échec que d'être contraint, pour exercer une autorité sur eux, de diviser leur effectif par deux, et cet échec ne leur a pas échappé.

Aujourd'hui, les élèves me paraissent recevoir une dose croissante d'anxiété, augmentée par les parents, par tous les adultes. Quand, enfin, ils n'ont plus peur de ne pas trouver d'emploi, on leur suggère : « Et si vous aviez peur du SIDA, pour changer ? » L'accumulation de peurs qui les étouffe suscite la quête d'un père et d'une mère dans la classe. Or, le professeur ne saurait être le père et la mère ; le proviseur, lui, peut servir de mère, mais une partie du temps seulement. Au vrai, j'ai horreur de cette expression. Voilà deux ans, dans le livre de l'année, les élèves voulaient m'appeler la « mère de Fénelon ». J'ai d'abord observé que cela ne me rajeunissait pas, d'être la mère de Fénelon. Certes, l'illustre penseur respectait sa mère : l'éducation des filles, estimait-il, se justifiait par la nécessité que les mères qu'elles deviendraient ne fussent plus illettrées. Reste que je n'éprouve aucun sentiment de « maternage » ni de « maternité » à l'égard des élèves. Ils ont une mère, cela suffit souvent, c'est même déjà beaucoup et je ne désire nullement nouer des relations de ce type.

Cela dit, les adultes sont trop absents de leur vie et cette nouveauté mue simultanément le professeur en pâture et repoussoir. Tel collègue mathématicien, excellent maître, me confie que sa classe comporte des « caractériels ». L'adjectif ne me paraît guère adéquat. En fait, des gosses brillants sont poussés par leurs parents à entamer prématurément une première S discriminante. Et comme ce sont encore des enfants, mais sommés d'accomplir des prouesses intellectuelles, le décalage est insupportable entre l'exercice qu'on attend d'eux et leur développement objectif. Si bien qu'ils réclament, face au professeur, l'impossible : l'exécution stricte, exhaustive, du programme ; et une prise en charge personnelle, attentive, tendre, contradictoire avec ce premier souhait. Tout le monde se fatigue, maîtres et élèves, tout le monde craque, tout le monde s'étonne de craquer. A l'insolence des jeunes répond la punition. Ne serait-ce pas notre système qui est « caractériel » ?

7. L'officier orienteur

Où madame le proviseur
dévoile ses batteries secrètes

A Mulhouse, l'objet essentiel du conseil de classe, ce sur quoi portait l'éventuelle négociation, c'était la rédaction des bulletins. Plus, en fin d'année, la mention « passe ou redouble », comme disait notre directrice. Les problèmes de réorientation n'étaient quasiment jamais soulevés ; les élèves inscrits au lycée poursuivaient vaille que vaille, sans autre forme de procès. Je parle, bien sûr, du second cycle ; dans le premier cycle, il en allait déjà différemment ; mais, au-delà de la seconde, on n'envisageait point de réorientation vers l'enseignement technique, ni d'abandon d'études, ni même de bifurcation vers d'autres sections : c'était « passe ou double », un peu comme à la roulette ou aux enchères. La directrice se formait une opinion d'après le volume sonore des « passe » et des « double », puis consignait sa décision sur le bulletin. Elle agrémentait l'ensemble de formules standard : « peut, mais ne veut » ; ou « veut, mais ne peut ». On ne faisait pas dans la dentelle puisqu'on était entre soi, loin des parents d'élèves. Ainsi orientait-on quand j'étais professeur.

Les élèves étaient alors de niveau homogène. L'établissement offrait de la place à tout le monde, et il était inutile de calculer à la chaise près. On disposait de moyens en heures supplémentaires, de moyens pour ouvrir des sections.

Dès que j'ai été nommée chef d'établissement à Nevers, j'ai observé des changements considérables. Outre le lycée polyvalent, nous avions des sections techniques, un collège d'enseignement technique avec, entre l'enseignement court et l'enseignement long, une classe passerelle baptisée « seconde spéciale ». D'où un éventail différencié d'élèves en seconde. A l'issue de cette dernière, dans la maison même, on entrait en première. De la même manière, après avoir obtenu au collège un brevet d'enseignement professionnel, un bon élève pouvait être accueilli au lycée en première dite d'adaptation. Bref, au sein du lycée du Banlay, un élève acrobate était susceptible d'accomplir le slalom complet du système éducatif.

Le problème numéro un était d'amener à coïncidence la capacité d'accueil des classes et la demande des élèves. Heureusement, la maison était si vaste que les combinaisons possibles demeuraient nombreuses. Durant cette même période, comme tous mes collègues proviseurs, j'ai mis en route la participation des parents et des élèves aux conseils de classe et institué un « conseil des professeurs » avant le « conseil de classe » proprement dit. Ce n'est qu'au quartier Latin, à Fénelon, que j'ai pu mesurer ce que déclenchaient ces nouvelles procédures. Dans un lycée qui comporte des classes préparatoires, l'enjeu est presque toujours d'accéder à ces dernières et tout dérapage scolaire est vécu comme un échec virtuel s'il paraît retarder, différer ou compromettre cette perspective future. On entre en seconde à Fénelon avec ce schéma-là dans la tête. Et si l'on s'éloigne un tant soit peu de ce schéma, on se sent déjà en échec scolaire.

Deux notions m'apparaissent, selon le lieu et l'heure, incroyablement relatives : l'échec scolaire et la classe dépotoir. Chaque établissement comporte une section où il met les élèves dont il ne sait plus que faire, par manque d'imagination, ou parce que l'élève est âgé, ou parce qu'on n'a rien compris à son fonctionnement intellectuel. Chaque maison, selon sa configuration singulière, les filières qu'elle possède, adopte cette technique mais élit, selon la circonstance, telle ou telle destination pour son rebut. Au lycée de Nevers, la section G1 était celle où l'on concentrait les élèves devant lesquels on se voyait démuni. A Fénelon, on les met en terminale D. Je pourrais certes les envoyer chez mes voisins, mais j'ai — je l'ai dit — comme politique majeure de ne jamais me débarrasser de qui que ce soit, élèves ou professeurs. J'essaie de garder ce que j'ai ; cela ne me réussit pas toujours. Je ne demande pas à mes collègues, sauf exception, d'accueillir des élèves en échec scolaire relatif, dans la mesure où cette situation relève, à mes yeux, d'une responsabilité partagée et non de la responsabilité exclusive de l'élève.

J'aimerais conserver mes élèves aussi longtemps qu'il le faut : je n'ai pas la religion du temps, je ne me la suis pas appliquée à moi-même, je ne l'applique pas non plus aux élèves. Si du temps est nécessaire à leur développement, s'ils ont besoin d'une année pour grandir et de l'année suivante pour travailler, je ne juge pas cela scandaleux. Desserrer les rythmes, assouplir les durées ne serait pas une contrainte, mais une liberté.

En revanche, ce qui nous contraint, c'est la pression de la

situation économique, l'idée — répercutée dans les têtes des parents et des élèves par les médias — qu'il n'y aura pas de travail pour tout le monde. Plus on va loin dans les études, moins le risque de chômage menace : voilà ce qui, aujourd'hui, perturbe le déroulement des conseils de classe. Le poids du contexte socio-économique est plus sensible encore avec la participation des parents et des élèves. Qu'on le veuille ou non, maintenant, l'affaire de l'orientation est devenue triangulaire. Dans les dossiers scolaires, les vœux de l'élève sont explicitement différenciés de ceux des parents, et soumis à l'établissement. Mais chacun des sommets du triangle n'est point une entité pure : il est la résultante de maintes négociations. « Les parents », cela peut désigner des points de vue fort différents — le père, ou la mère, ou les deux, ou la tribu qui conçoit l'orientation en fonction de la fratrie. Certains parents, par exemple, justifient leur option en déclarant : « Tous mes enfants ont suivi une classe préparatoire, il faut que celui-ci y soit admis. » Pour eux, l'argument est en béton.

L'élève, lui, quand il émet des vœux, obéit fréquemment à l'idée que, s'il n'adopte pas la trajectoire la plus rectiligne, la plus linéaire, la plus courte, dans le système éducatif, il est en danger. Être orienté, c'est en soi une sanction. Cette expression, « être orienté », me rend folle. Quand les professeurs disent : « On n'a qu'à l'orienter ! », c'est quelque chose que je ne supporte pas d'entendre, parce que c'est une phrase magique. Sous une autre forme, infiniment plus crue, ce même rite s'accomplissait lorsque j'étais professeur à Mulhouse, et que la directrice tranchait : « IVA : Insertion dans la Vie Active ! » C'était pratique, c'était l'impasse douillette. Elle inscrivait « IVA », et « IVA » ne faisait pas l'objet d'une commission d'appel, ni d'un rejet de la famille.

La participation des parents et des élèves a tout de même considérablement modifié les choses. A ma vive satisfaction, sinon pour mon repos. J'y étais favorable, plus encore depuis que la loi de décentralisation a transformé nos écoles en établissements publics locaux d'enseignement, avec nécessité de respecter les nouvelles règles de transparence des dossiers et de motivation de l'acte administratif. Dire aux professeurs qu'un acte administratif doit être motivé et que « faute de place » ou « faute d'un niveau suffisant » ne constituent pas une motivation recevable, c'est une réelle altération de nos mœurs. Nous devons assurer la responsabilité d'émettre un pronostic sur la capacité de l'élève à aborder une filière. Et nous devons rédiger nos arguments dans des termes accessibles aux commissions d'appel. Car les procédures d'appel ont considérablement modifié et les enjeux et la dynamique des conseils de classe.

Je ne me suis pas octroyé un cadeau en introduisant dans mes conseils de classe la présence individuelle de l'élève — s'il le désire — pendant l'examen de son cas. C'est probablement la chose à laquelle je tiens le plus. Quand on me demande ce que j'ai réalisé à Fénelon, j'ai tendance à répondre « deux réformes » : le ping-pong et la participation aux conseils de classe. L'installation d'une table de ping-pong fut une révolution, puisque jouer semblait, dans la maison, une sorte d'acte contre nature. On ignorait que les élèves ont besoin de jouer. Mais la participation personnelle de chaque élève aux débats le concernant a rencontré des résistances plus virulentes encore. Voilà seulement trois ans, nous avons traversé une crise sérieuse : les élèves continuaient à demander à prendre part au conseil mais les professeurs n'en voulaient plus, arguant que cela allongeait la discussion et influait sur la décision finale. J'ai tenu bon, en m'engageant à respecter strictement les horaires pour ne pas abuser de la bonne volonté des professeurs.

Je dirais que l'orientation et le conseil de classe, qui sont une seule et même chose, sont ce qui me passionne le plus dans ce métier. C'est aussi ce que je fais avec le plus de soin et d'intérêt, avec une volonté délibérée, voire provocante, de prendre toutes mes responsabilités et de revendiquer le droit de décision après consultation des professeurs. C'est clair et net : les professeurs savent que la décision, je la revendique, je la prends, je l'assume aussi (je n'admets pas qu'on vienne insulter un enseignant après que la décision a été prononcée), et je ne dis pas : « C'est la faute à M. Untel si votre fils ne passe pas... » Mais, de la même manière, j'en dispose, je la réétudie et, éventuellement, j'intègre un nouvel élément du dossier, au point de la modifier, en appliquant le texte réglementaire jusqu'au bout, acceptant parfois des paris hasardeux.

A mon sens, le conseil de classe, par une espèce d'anxiété commune à tous les partenaires, a complètement évacué le droit à l'aventure, le droit au risque, l'incertitude liée à l'adolescence. Il me paraît nier trop souvent l'existence même de ce dernier phénomène. On gomme par commodité la crise de l'adolescence. Si l'élève grandit de quatre centimètres, ne conviendrait-il pas d'apprécier les effets de sa croissance ? S'il est visiblement très amoureux pendant un trimestre, ne devrions-nous pas en tenir compte lors de l'appréciation de ses résultats ? Mais non : il est quasiment inconcevable qu'un conseil de classe s'écarte des sentiers battus. On se refuse à considérer le jeune comme un individu complet, on oublie qu'il va bientôt voter : il est juridiquement majeur, il est libre de choisir le président de la République, mais non une section, ni entre un redoublement ou un passage périlleux dans la classe supérieure. On raisonne en vieux, en gens assis, complètement pépères, solidement carrés dans leurs repères éternels. Et le gosse qui réclame de courir l'aventure d'un passage malaisé, conditionnel, qui réclame pour y parvenir une assistance éventuelle, on lui clôt le bec. Je dis parfois aux professeurs qu'ils consacrent environ trois minutes de leur longue vie à décider du sort d'une année d'un élève qui est, pour lui, le seizième ou le quinzième de son existence. Ils n'aiment guère pareil discours. Pourtant, lorsqu'on décide d'un redoublement, c'est bel et bien de cela qu'il s'agit : on est en train de biffer une année du cursus d'un individu qui n'en a connu que quinze.

Par bonheur, Fénelon est une maison petite. Je joue cette carte-là. Quand nous accueillons des élèves, ils nous sont connus, il existe une espèce de contrat préétabli entre eux et nous. Ils frappent à la porte pour telle ou telle raison. Je leur ai fourni le menu et la carte du lycée Fénelon, le projet d'établissement, les objectifs du lieu. Leur dossier m'est familier, je les situe déjà un peu par leur scolarité antérieure et par leurs demandes. En plus du fameux dossier d'orientation, nous constituons un dossier maison relativement complet, dans lequel nous invitons la famille et l'élève à justifier leur demande d'affectation — à Paris ce n'est pas une affectation automatique. La désectorisation ou l'assouplissement des mesures de sectorisation vont accroître ce phénomène. Année après année, la prise de pouvoir des élèves dans cette demande, dans cette initiative, est de plus en plus marquée. Ils cooptent leurs successeurs, amènent des plus jeunes en affirmant : « Je lui ai dit qu'il serait bien à Fénelon. » Et le candidat lui-même, élève de troisième, écrit de plus en plus fréquemment au proviseur : « J'ai lu vos gazettes, je voudrais bien être inscrit à Fénelon pour tel ou tel motif. »

Nous ne recrutons pas des inconnus. Lors de l'arrivée des nouveaux, une cérémonie de pré-accueil leur explique quelles seront les dates des conseils de classe, comment s'organise l'année scolaire, pourquoi elle a été redécoupée indépendamment des vacances, quelles sections fonctionnent ici, comment le travail est apprécié. Les secondes, puisque j'ai retenu cet exemple, savent qu'un préconseil réunit les professeurs un mois après la rentrée pour examiner de manière très brève, très rapide, sans préjuger de la suite, avec le secours du professeur principal, de l'assistante sociale et de la conseillère d'orientation, ce qu'on pourrait nommer des anomalies d'orientation ou des problèmes d'adaptation particuliers. Ils savent donc qui va les examiner, comment cela se passera, quelles demandes ils doivent formuler et quand. Si bien que, lors du conseil de classe, du vrai, ce n'est pas une redite, mais une conversation qui se poursuit.

On accorde généralement une demi-heure au conseil des professeurs et une heure et demie au conseil de classe. Avant le conseil des professeurs, la veille au soir, les bulletins complètement remplis doivent être déposés dans ma boîte aux lettres. A l'ouverture des débats, j'ai donc lu l'ensemble des bulletins, essayé de repérer les points chauds, soit dans le travail des élèves, soit dans la façon dont les professeurs ont rempli les bulletins. Je demande des compléments d'information, car je n'accepte nullement que la note soit commentée par un mot, j'exige une appréciation détaillée. En conseil des professeurs, on examine comment les élèves ont travaillé, combien d'interrogations écrites ils ont subies, ce qu'indique, au vrai, la note qui figure dans le bulletin. Ensuite, nous évoquons entre nous les cas litigieux, difficiles, ou ceux qui paraissent propres à susciter une divergence de vue entre les professeurs. L'objectif est d'éviter, pendant le conseil de classe, les discussions internes, du genre : « Je vous fais un prix d'ami, vous me consentirez un rabais pour Untel. » Ou encore : « Celui-ci, il est vraiment médiocre, il faudra songer à une réorientation en fin d'année, mais il fournit tellement d'efforts, il est tellement gentil, qu'il faut essayer de le lui dire sans le gronder. »

Le taux de renouvellement du personnel est très faible, j'ai donc vraiment l'habitude de travailler avec les professeurs. Je leur dis tout ce que j'ai sur le cœur. Quand je juge qu'ils se gonflent d'importance ou prétendent exercer un droit de veto, je n'hésite pas à intervenir. Les facteurs individuels jouent, naturellement, mais nous sommes surtout tributaires de disciplines qui imposent ou rêvent d'imposer leur loi.

A présent, la machine est parfaitement rodée dans les lycées classiques et modernes. Le gosse de seconde sait qu'il doit s'arranger pour avoir de son côté, prioritairement, les mathématiques, le français, une langue vivante. Pour le reste, il suffit de n'avoir pas d'ennemis. Avec cela, il est bon, il a toutes les chances de voir s'ouvrir la section convoitée. A l'époque où j'étais professeur à Mulhouse, les personnalités prépondérantes faisaient la pluie et le beau temps : celui qui voulait obtenir à l'arraché le passage de ses élèves l'emportait en haussant le ton. Maintenant, c'est affaire de barèmes, de barrage par les mathématiques, et il faut ramer à contre-courant si l'on désire que le conseil de classe ne se contente point d'enregistrer le bilan des réussites et des échecs en mathématiques, ce seul critère déterminant l'orientation de l'élève.

Les professeurs de mathématiques abusent-ils de la situation ? C'est plus complexe. Il s'établit une sorte de complicité générale : l'hégémonie d'une discipline libère les autres du souci de discuter, de négocier ; c'est difficile à vivre, la présence de deux délégués-parents, de deux délégués-élèves, qui débarquent avec des questions sur la façon de travailler, sur la manière de juger. Au fond, cette discipline à laquelle tout le monde accorde un droit de sélection, un droit de veto, dont personne ne veut entendre qu'elle est aussi aléatoire qu'une autre en matière de notation (les travaux de l'INRP [1] l'ont bien montré), sert de passe-partout commode, de sésame universel. On l'utilise pour entretenir le mythe des vérités objectives, on s'y accroche. Sinon, force serait d'opter pour d'autres formes de procédure, sûrement plus sincères et intéressantes, mais dont l'emploi serait beaucoup plus coûteux : un dialogue permanent avec l'élève, avec sa famille, un réajustement constant du jugement selon les goûts, aptitudes, résultats présents, projets d'avenir. Toutes opérations qui requièrent du temps, de la concertation, de la négociation.

Une telle démarche n'est envisageable que dans un petit

1. Institut national de la recherche pédagogique.

lycée. Fénelon ne compte que quatre divisions de seconde, et c'est un formidable atout pour leur parler la langue qui convient en cette période sensible. Après, en première, l'échelle se modifie, il s'agit plutôt de pilotage sur l'année. Il y a certes des drames, notamment dans les classes de première S où les élèves, saturés de maths et de physique, sont incapables de satisfaire les autres professeurs. Mais les principaux choix d'orientation ont été accomplis. En terminale, la question resurgit, quoique dans une atmosphère plus sereine : l'enjeu est d'aider les élèves à mûrir leur décision, à bâtir un plan pour les deux ou trois premières années d'après-baccalauréat. Il faut dire que l'angoisse des terminales, chez nous, est sensiblement réduite au vu des taux de succès au bac que nous enregistrons d'habitude (il arrive, d'ailleurs, que cette courbe glorieuse joue un rôle de tranquillisant et que les élèves confondent le label Fénelon et le droit au diplôme).

Bref, le moment où un important travail d'observation, de négociation et de discussions s'impose, c'est en classe de seconde. Il faut, si l'on veut que l'« année de détermination » serve à quelque chose, distribuer les options à l'entrée, en assurer le suivi au cours de l'année, amener des élèves à en abandonner certaines, voire à en reprendre d'autres, et puis miser utile, progressivement, en fonction de ce qui paraît se dessiner concernant la classe de première. Avant, les filières étaient étanches, on entrait en seconde C, on continuait en C ou D, et l'enjeu se résumait à la phrase favorite de ma directrice de Mulhouse : « passe ou double ». Il n'existait guère d'autre éventualité, ni pour le meilleur ni pour le pire. Mais maintenant, c'est une rude affaire.

Souvent, les élèves ont sélectionné des options plus pour

s'inscrire dans un établissement que pour axer ainsi leurs études. Il convient de lever cette sorte d'hypocrisie durant le premier trimestre et de leur dire carrément : « Le grec, troisième langue, ça ne vous intéresse pas du tout, mais vous avez vu qu'à Fénelon il y avait du grec débutant, et vous vous êtes inscrit en grec pour entrer au lycée. En fait, vous préférez l'informatique au grec. On s'en aperçoit quand on étudie votre dossier. » Ah ! les passions éphémères pour le latin, pour l'allemand, les clients qui élisent une langue à l'entrée en seconde pour être dans la bonne classe, mais qui, trois jours après, s'avisent qu'il urge de l'abandonner...

On a du mal à casser les rigidités du conseil de classe pour parvenir à un suivi différencié, parce qu'on n'a pas de temps dévolu à la concertation, ni de lieu adéquat. Le professeur principal de seconde sert de démarcheur pédagogique, de globe-trotter tout terrain. Le conseiller principal d'éducation, dont le temps de service est plus long que celui des enseignants, quémande l'information auprès de chaque professeur, et jusque dans la rue. La conseillère d'orientation se partage entre nous et un autre établissement ; l'assistante sociale vient en renfort ; l'infirmière, à l'occasion de migraines diplomatiques, reçoit maintes confidences. Autant de trucs et ficelles, de bricolage, afin d'éviter les tabous du genre : il faut 14 en maths pour entrer en prépa HEC, tant pour passer en première S, etc. Dans ce cas de figure, aussi fréquent que lamentable, tout le monde se raccroche au barème et à la certitude que le redoublement sera profitable puisque l'élève aura vieilli d'un an l'année prochaine !

Ces barèmes sont rois dans certains établissements. Nous

en sommes les victimes, nous aussi, puisque les éclopés du système reviennent vers nous. Entre certains proviseurs, les contacts personnels sont fructueux, le réseau fonctionne. Avec le lycée Montaigne, nous parvenons à une régulation concertée. Mon collègue m'envoie ses futurs hypokhâgneux, je lui envoie mes futurs HEC, et l'on discute : en d'autres termes, on étend à deux maisons l'assouplissement qui prévaut chez moi. Mais cela ne va pas jusqu'à l'ensemble du bassin de formation. Le « bassin de formation » du quartier Latin, ou « GODE » (groupe opérationnel d'établissements) rive gauche, n'est qu'une fiction ou un doux rêve. En revanche, avec quelques collègues, une navette s'instaure, un dialogue s'engage. Une fois de plus, je constate que la chose est concevable entre proviseurs qui n'ont pas trop d'élèves, qui aiment beaucoup leur métier, qui acceptent de dévoiler leurs pratiques professionnelles — car le silence est d'or — et qui ne sont pas obsédés par la concurrence, voire le piratage ; avouer comment on travaille, cela scelle un pacte de confiance qui n'est posssible qu'avec quelques-uns.

Un petit groupe de proviseurs « différents » s'est ainsi constitué, mais les mutations ne facilitent guère sa survie. Un collègue de Lavoisier avec lequel les liens étaient constants a été récemment muté à Victor-Duruy. Les expériences accumulées ne sont pas perdues puisqu'il demeure dans le même district. Mais, en diverses circonstances, des années de recherche commune sont annulées par le départ d'un interlocuteur.

L'attitude un peu excentrique que nous adoptons nous vaut quelques déboires. L'autre jour, le proviseur de Montaigne tempêtait : « Moi, je vais durcir ma politique, parce qu'on ne me renvoie pas l'ascenseur. J'espérais pouvoir loyalement échanger des redoublants, mais la circulation se fait toujours dans le même sens. J'accueille ceux des autres, on n'accueille pas les miens. » Je lui ai répondu : « Tu sais bien que tu ne durciras pas ta politique. Tout ce qui t'intéresse, ce sont les élèves, et tu continueras à accepter des inscriptions difficiles, même si les spécialistes de l'excellence te considèrent comme un imbécile. Tant pis : les élèves en profiteront, eux ! »

Il est vrai que, pour nombre de proviseurs, ces arrangements sont suspects. Le jeu consiste à refiler au voisin, sans contrepartie, les moutons noirs. Cela donne, sur les bulletins, des formules splendides du genre : « admis dans la classe supérieure à condition qu'il change d'établissement ». En réalité, je le dis très cruellement, les grandes usines scolaires procèdent à une sorte de recyclage des déchets et comptent fréquemment sur nous, les artisans, pour assurer au mieux cette besogne. Reste que, dans le métier, c'est là ce qui me passionne le plus : « récupérer » des élèves, même s'ils retournent à l'usine après un séjour réparateur dans mon atelier. L'ingratitude des élèves est un droit lié à la dureté du système.

Souvent, les professeurs s'indignent de me voir m'embarquer, seule, dans une expérience, accepter la tentative d'un élève qui réclame une dernière chance. Je pense à ce professeur d'histoire-géographie qui, voilà peu, protestait en conseil : « Mais qu'est-ce que je suis venue faire ici ? J'avais résolu de m'opposer à certaines décisions et vous les avez prises quand même, madame le proviseur. » Moi : « Vous avez une si jolie robe que votre présence a beaucoup contribué à créer une atmosphère constructive et à risquer quelques audaces. » Elle, mi-fâchée mi-souriante : « Ne me refaites jamais le coup de la robe ! » Au vrai, je le fais souvent, le coup de la robe. J'ai tendance, je l'avoue, à gérer le conseil de classe comme une affaire personnelle. Parce que je me fie à mon jugement et que c'est ma responsabilité dernière. L'intime conviction, vraiment, je l'éprouve. Car je les travaille beaucoup au corps, les élèves, je les écoute dans mon bureau, et ils parlent avec une relative aisance.

Je me souviens d'une fille de première S m'expliquant qu'elle renonçait à sa technique habituelle pour se distraire le temps du cours : « Je m'étais toujours dit jusqu'à présent : si je m'embête un peu, je penserai à la maison de vacances qu'on avait il y a quatre ans en Bretagne et j'essaierai d'en reconstituer toutes les pièces. Eh bien, maintenant, en première S, j'ai compris que je ne pouvais plus m'offrir ce type de distraction, et mes résultats sont meilleurs. » Ils ne racontent pas tout, les gosses, mais ils laissent percer leur vérité quand on leur garantit, en retour, une discrétion certaine. Et c'est là ce qui me donne le plus d'assurance dans mes jugements. Ils écrivent souvent — et rien n'est plus joyeux — quelques années après : « Vous aviez raison... »

Je dois aussi reconnaître que, dans la population scolaire qui m'est confiée, beaucoup d'éléments ne posent aucun problème d'orientation. Ce qui permet de mieux se consacrer aux autres, d'étudier leur dossier, de négocier avec eux. D'ailleurs, ils m'attendent à leur tour, les élèves. Si je sors quelques minutes de la salle où ont lieu les conseils de classe, ils me disent : « Madame, vous nous défendrez... » Ils ne négligent rien pour alléger le verdict. C'est étonnant, par exemple, de voir comme ils se font beaux en cette occasion.

Ils guettent à travers la fenêtre du parloir pour épier comment ça se passe. Ils enlèvent leur blouson ou au contraire le gardent. Ils connaissent les formules qu'il ne faut pas employer et celles qui séduisent le public ! Bref, ils savent fort bien nager dans le système, parce qu'un long dialogue, une longue connivence les y ont préparés, que des assouplissements restent envisageables, que c'est du solide, du concret. Je n'hésite pas à laisser partir un élève un an, s'il en a marre du système scolaire, puis à le réintégrer. Mais pour de bon, pas avec de nouveaux états d'âme tous les quinze jours. D'autant que demander cela aux professeurs, dans le système actuel, c'est une gageure, c'est le contournement de tous les grands dogmes.

Les conseils de classe ne représentent au fond que des temps forts, des temps plus solennels qu'on pourrait presque abolir si le suivi des élèves était assuré correctement. Pour l'heure, ils font office de validation. La solennité de la cérémonie fait que certaines vérités, qui ont été dites et redites par chacun d'entre nous aux élèves, ne sont effectivement prises au sérieux par ces derniers que dans le sanctuaire du bureau, devant l'assemblée de fin de trimestre. Écoutant le verdict, ils confessent qu'on le leur avait bien dit mais qu'ils n'y croyaient pas trop. En ce sens, la cérémonie ne constitue rien d'autre qu'un effort d'harmonisation des points de vue, un travail de synthèse, d'enregistrement. Je ne puis supporter l'idée que la décision du conseil de classe du troisième trimestre éveille la surprise chez l'une quelconque des parties engagées. La machine scolaire n'est pas une boîte noire d'où sortira, *in extremis,* la révélation.

Participant à des émissions sur l'orientation, et en particulier au *Téléphone sonne,* j'ai été frappée d'entendre ce que la procédure recelait encore de mystérieux, de mythique, pour les usagers de l'école : peut-être, du reste, cela se produit-il dans la tête des parents et non dans la réalité de l'établissement. Mais il me semble que le sentiment ou la crainte d'être placé devant le fait accompli n'ont pas disparu et que l'élève conserve fréquemment l'impression de n'avoir pas été associé à la décision. A cela, une excellente raison : si l'on désire vraiment l'y associer, les répercussions sur la vie quotidienne de l'établissement seront considérables, déstabilisantes. Finalement, le fameux barème fondé sur les mathématiques est infiniment plus simple et plus confortable. Les professeurs sont déchargés de tout scrupule social et aussi de l'agression des parents qui ne cessent de réclamer des explications. On se contente de leur répondre : « Désolé, la barre est à tant... » L'argument massue évite d'être amené à justifier des décisions par des arguments fort peu techniques : tel garçon, pendant un trimestre, a été tellement amoureux qu'il a traversé un passage à vide, mais le voici qui sort du tracassin et qui retrouve ses habitudes de bon élève. Admettre qu'on manie des outils de nature empirique ou pifométrique, qu'on s'appuie sur l'intuition, c'est fatalement périlleux. Et introduire dans la dynamique du conseil de classe des impressions, des espérances, des pactes de confiance, c'est tenir un langage déconcertant.

Par-dessus le marché, il se trouve toujours un adolescent pour dénoncer le pacte de confiance, il y a toujours des cas pour lesquels ça cafouille ; la spécialiste des rêvasseries que j'évoquais plus haut m'a fait remarquer, s'agissant des redoublements : « Vous ne saurez jamais si telle formule de scolarité est préférable à une autre puisque chaque élève ne mène qu'une vie scolaire et qu'on ne peut mettre en parallèle deux expériences. » Elle a complètement raison. Les professeurs de classe terminale, à propos du recrutement en classe préparatoire, disent maintenant : « L'orientation n'est pas une science exacte. » Voilà déjà un progrès. Si, en particulier, les professeurs de mathématiques ou de sciences physiques réussissent à s'approprier cette réalité, un très gros chemin aura été parcouru.

Pour l'heure, les assouplissements se pratiquent à doses homéopathiques. Les passages d'un établissement dans l'autre, la possibilité de confier provisoirement un élève à un collègue, l'arrivée d'un produit de la pédagogie Steiner au lycée Fénelon : autant de cas d'espèce, de risques encourus, de dialogues entamés, de passerelles fragiles. La technique du slalom, ce sont les familles bien informées qui la maîtrisent. Les autres n'y ont point accès, d'autant que les trois quarts des établissements ferment leurs portes aux gosses qui ont subi un accroc dans leur scolarité : ceux qui ont connu un ou deux redoublements sont systématiquement écartés de maintes maisons. Jouer la souplesse, reconnaître aussi le droit à l'ingratitude, c'est aller à rebours, remonter la pente.

Quelquefois, c'est l'occasion d'une bouffée d'amertume. L'élève qu'on a vraiment récupéré en difficulté, en révolte, au niveau de la première, qu'on a bichonné, envoyé au club-théâtre, couvert de gentillesses, et qui, pendant l'année de terminale, s'est ensuite défoncé pour arracher un bon bac, puis s'en va s'inscrire en hypokhâgne à Louis-le-Grand, parce que nos hypokhâgnes sont indignes de sa pointure, les professeurs ont quelque peine à l'avaler. D'autant que le hit-parade nous guette au coin du bois. Ses rédacteurs ne noteront pas : attention, c'est un lycée qui fait don de ses meilleurs élèves au voisin, qui retape des gosses et qui est prêt à écorner de deux ou trois points son glorieux palmarès pour continuer dans cette voie. Être un bon lycée qui ne choisit pas la facilité des tris préalables, mais la difficulté des défis éducatifs, suppose un authentique travail de deuil, douloureux, difficile.

Avec Louis-le-Grand, les rapports ne manquent pas de sel. Compte tenu que le lycée Louis-le-Grand fait dans l'infiniment grand, chaque fois qu'on rencontre de l'infiniment grand à Fénelon, M. le proviseur de Louis-le-Grand accepte que je le lui donne. Si je lui confie ma part d'excellence, en général il me croit sur parole. De temps en temps, il regarde d'un peu plus près. Mais il consent, bon prince, à ce que je lui présente sur un plateau ce que j'ai de meilleur. Et je ne m'attends jamais à ce qu'on me réexpédie le produit, sauf si le petit génie qui paraissait en or massif est seulement doré à la feuille. Là, je me cabre. Mon collègue, d'ailleurs, sait jusqu'où il ne doit pas aller trop loin et joue franc jeu : il me dit quelle décision l'amène à se séparer d'un élève et pourquoi il le juge bon pour Fénelon. A Louis-le-Grand, le système est ainsi conçu que dans telle TC, une moyenne de 7,35 signifie qu'on ne fait pas le poids pour Fénelon. C'est pesé au milligramme près et mon interlocuteur veille à ne pas m'envoyer dans un joli papier-cadeau un individu qu'il pressent incapable de s'adapter chez moi. L'*exeat* de M. le proviseur du lycée Louis-le-Grand, c'est du solide. Avec mon collègue de Montaigne, pas de problème : la transparence règne. Quant à Saint-Louis, il n'y existe pas de second cycle, et les échanges n'interviennent qu'entre l'usine à classes préparatoires scientifiques que constitue cet établissement et le microcosme scientifique de Fénelon.

Nous avons la même assistante sociale, et c'est par ce biais que nos vases, fort inégaux en contenance mais non en qualité du contenu, communiquent.

Avec Henri-IV, pas de vases communicants, pas de déontologie du barème, pas de transparence : rien. En provenance d'Henri-IV, on ne récolte que des dossiers porteurs de la formule standard : « Peut entrer en khâgne sous sous réserve de changement d'établissement. » Tant pis, je prends, mais je prépare le terrain, parce qu'il ne faut pas que le gosse paie la casse, l'inconséquence. Il ne faut pas qu'en représailles tel ou tel professeur lui lance : « Vous êtes ici par charité » — je comprends d'ailleurs que les professeurs de Fénelon en aient par-dessus la tête de la morgue de nos voisins qui n'hésitent pas à écrire : ce sujet ne passera pas chez nous ; chez vous, il fera l'affaire ! C'est agaçant, mais il faut dépasser ces petites susceptibilités, voir avant tout l'intérêt de l'élève.

La souplesse et l'excellence ne devraient nullement être incompatibles à condition qu'on attribue au mot « excellence » un sens différent de celui qui prévaut dans certains établissements où l'on confond excellence et performance. Excellence et souplesse, oui. Souplesse et performance pure, non. Si l'on introduit de la souplesse, du dialogue, on recule forcément dans les hit-parades et le lycée Fénelon, depuis mon arrivée, a régressé, sous ce seul critère. Non pas moi, qui partais avec le très lourd handicap d'avoir été proviseur de lycée polyvalent avec CET annexé, où figuraient les dernières sections de la nation, les CAP couture-flou et employés de collectivités. En matière de performances, j'avais touché le fond. Je suis donc encore un « bon » proviseur par rapport à mes performances antérieures si l'on ne précise pas dans quelles conditions respectives les unes et les autres ont été obtenues.

En revanche, le second cycle du lycée Fénelon est nettement moins « bon » sous ma tutelle. Je l'ai « pollué » en introduisant la mixité, en important des « mauvais garçons » et en exportant des « bonnes filles », ce qui a modifié les proportions de reçus. En outre, cet assouplissement favorise l'augmentation des effectifs par « fidélisation » de la clientèle. C'est une manière — c'est du moins la mienne — de concevoir l'excellence. Mais pour ce qui est du rendement, il a baissé ou, en tout cas, ne saurait être mesuré dans les mêmes termes. Quant aux classes préparatoires, dans la mesure où nous autorisons les deux ou trois meilleurs à partir, les encourageons même, les accompagnons jusqu'à leur nouvelle destination, nous acceptons le risque d'entamer notre image de marque.

Pour comble, je pousse le droit à l'ingratitude jusqu'à ses limites extrêmes : quand « mes » élèves font acte de candidature pour un autre lycée en classe préparatoire, c'est-à-dire, généralement, Saint-Louis et Louis-le-Grand (rarement Henri-IV), je leur dis que, s'ils ne sont pas acceptés en premier choix dans ces lycées-là, on leur gardera, en deuxième choix, un strapontin ici. Le point oméga de l'ingratitude... On retient leur chaise, et ils vont s'enquérir ailleurs de leurs chances d'être pris. Spontanément, les professeurs renâclent avant de tolérer une chose pareille. Pas plus qu'ils ne peuvent accepter qu'on donne l'autorisation à un élève de passer un trimestre dans une classe, simplement parce qu'il a demandé à y aller et qu'on lui garde une place dans la classe du dessous au cas où il se rendrait à l'évidence, perçue par tous, qu'il vaut mieux redoubler. Je l'impose cependant. Évidemment pas pour trente élèves, car ce serait techniquement ingérable, mais sur un effectif restreint.

J'en ai un, pour l'instant, qui vient de repasser de mathématiques spéciales en mathématiques supérieures, un gentil garçon qui a juste vingt ans et qui a pleuré comme une petite fille dans mon bureau quand je lui ai dit que c'était la seule décision raisonnable pour préserver ses chances ultérieures. Le lendemain matin, il téléphonait, avec encore des sanglots dans la voix, pour expliquer qu'il comprenait bien la démarche, que c'était une chance qu'on lui offrait. L'année dernière, une élève de terminale C qui était repassée, au bout d'un trimestre, de terminale C en première S, a décidé, après ce redoublement volontaire ou accepté, de bifurquer d'elle-même vers une terminale D. Des « réussites » de ce genre, nous en avons quelques-unes à notre « palmarès » invisible. Mais, dans la mesure où chaque élève n'a qu'un cursus scolaire, comme l'Écossais n'a qu'une tête, il y tient forcément.

On ne peut pas jouer sur les grands nombres, parce qu'on est coincé par d'autres éléments. Il faudrait recourir aux unités capitalisables, raisonner en heures d'enseignement plutôt qu'en années scolaires. Pour le moment, on est dans un système donné. Je ne me prétends nullement théoricienne de réformes en cascade — d'autant qu'en France les modules, les programmes ont tendance à varier selon que le ministre est de gauche ou de droite. Je me bagarre pour entamer, dans la mesure du possible, qui est faible, la rigidité présente. Je me bagarre jour et nuit et ce n'est pas une image. Ma réponse à la question de l'excellence, c'est que l'excellence, c'est cela, et non le rendement, parce qu'on ne sort pas des voitures d'un établissement scolaire. Il est des

« réussites scolaires » qui sont des redoublements acceptés, assumés, utilisés à plein. Et cela, c'est de « l'excellence ». Non, l'école n'est pas l'usine.

Pour atténuer la solennité soudaine de mon propos, qu'on me permette de narrer ici quelques souvenirs qui dédramatisent le conseil de classe. Je me rappelle une élève à qui je déclarais qu'elle avait l'embarras du choix en matière de section et qu'elle était comme l'âne de Buridan. Elle a éclaté en sanglots, considérant que ma métaphore constituait une injure terrible. J'avais beau la consoler, je me suis tragiquement enferrée : plus je lui disais que l'âne de Buridan n'avait jamais existé, plus elle pleurait. C'était affreux ! Moi qui me réjouissais de l'opulence exceptionnelle qui était sienne... Je pense aussi à celle qui, calmement, m'a dit en plein conseil : « C'est très curieux que vous me reprochiez de ne pas faire tout mon travail, dans la mesure où vous ne faites pas vraiment le vôtre, et je peux en donner des exemples. » Devant l'honorable assemblée, j'ai répondu : « Je vous dispense dans l'immédiat des exemples, mais vous avez raison de dire que la partie n'est pas égale, qu'il y a des pots de fer et des pots de terre. Quand vous êtes venue me voir, je vous ai avertie. Vous acceptez d'être scolarisée, ça passe par là. Et la décision de fin d'année scolaire valide également vos efforts pour, selon votre expression, vous écraser. » Elle avait attaqué avec un aplomb formidable.

J'aime beaucoup les tuyaux que les deux délégués donnent à l'élève qui se présente : « Enlève les mains de tes poches, reste tranquille, ne bouge pas. » Des astuces formulées à mi-voix pour augmenter les chances du copain. Et j'aime surtout le moment où, constatant que le copain est incapable d'augmenter ses chances, le camarade délégué prend la parole : « Madame, je voudrais souligner que, par sa seule présence, il témoigne qu'il a vraiment la volonté de bien faire, parce qu'il ne voulait pas venir, et nous lui avons demandé de venir ; s'il se tient mal pour l'instant, c'est parce qu'il est intimidé. » Certains délégués élèves connaissent par cœur la navette des questions et des réponses, pourraient dresser à eux seuls le bilan du travail du copain, résumer l'évaluation du conseil de classe et dispenser les professeurs de toute participation parce qu'ils ont tout vu, tout compris. Ceux-là sont assez forts pour modifier une décision, par exemple les avis « très favorable », « favorable », émis avant le baccalauréat. Ce sont des leurres, mais les élèves négocient comme s'il s'agissait d'une question de vie ou de mort. Quand on écrit : « Doit faire ses preuves à l'examen », ils s'imaginent condamnés à l'échec. J'ai vu une élève, à la fois déléguée et cas litigieux, pleurer surabondamment sur son propre sort, « oubliant » son rôle de déléguée : les professeurs lui ont offert un « favorable » en guise de consolation, mais elle refusait dignement. Depuis, surtout lorsque le patronyme des délégués vient en début de liste, je leur annonce qu'on va se débarrasser tout de suite de leur cas, afin qu'ils soient en état de participer.

J'ai observé qu'en règle générale les premiers sont toujours traités plus sévèrement que les autres. C'est pourquoi je commence les conseils de classe, un trimestre par A et un trimestre par Z. La déléguée, dont je relatais à l'instant le chagrin, refusait la mention « favorable » qui lui était offerte parce qu'elle jugeait que cette offre sanctionnait le fait que son nom commençât par un B et pas son travail. Elle revendiquait, pour l'élève qu'elle était, une évaluation plus satisfaisante de ses efforts, de ses progrès. Mais si l'on « achetait » par une mention favorable le calme de la déléguée, elle repleurait de plus belle, rejetait l'aumône.

Il s'établit ainsi des dialogues très cocasses avec les élèves. Certains ont préparé leur discours si soigneusement qu'ils le tiennent alors qu'on leur pose des questions imprévues. D'autres confondent conseil de classe et confessionnal et arrivent carrément, bille en tête — surtout les garçons de seconde — en clamant : « Oui, j'ai péché ! Oui, je n'ai pas travaillé assez. Mais pendant les vacances (là, les profs s'étouffent), pendant les vacances, je vais rattraper, je vais partir à l'étranger, etc. » Il y a encore l'élève qui dévisage les profs pendant que je lui demande où il a manifesté des signes d'indiscipline. Il inspecte les rangs et lâche au hasard : sciences économiques. Non, dit le professeur. Il essaie l'anglais — en anglais, ça marche toujours, parce que les linguistes ont des ennuis de discipline. Parfois même, il s'accorde un tour d'horizon pour identifier l'enseignant auquel cela ferait le plus plaisir s'il annonçait qu'il a été bavard et dispersé.

En retour, il se produit de spectaculaires empoignades entre professeurs, fruits des querelles de spécialités : « Évidemment qu'il est nul en histoire, il est dévoré par la philosophie, et chacun sait que, quand on a la pensée philosophique, on n'a pas le sens de la chronologie ! » Et c'est parti... On ne sait plus de qui on parle. L'élève, on l'a complètement oublié. C'est surtout vrai dans les classes préparatoires à options, les enseignants s'arrachent leurs poulains, les optionnaires de leur discipline. Ils s'entre-déchirent de manière beaucoup plus violente que leurs collègues du secondaire, qui sont très fatigués en fin d'année et avant tout désireux que les décisions de conseils de classe engendrent le moins de complications possible.

Parmi les fantasmes des parents, les enseignants vindicatifs, les « vengeurs », occupent une place de choix. Il en existe quelques-uns mais, les collègues et moi, nous les voyons venir. En général, le phénomène sert plutôt l'élève parce que la majorité des profs, elle, n'est pas vengeresse et vit dans l'anxiété de créer des précédents. A mon désaveu de semblable attitude s'ajoute une solidarité des autres maîtres. Le collègue « revanchard » fait le vide autour de lui.

La vraie question, c'est l'élève épuisé, en bout de course. Ce type de situation exige une intervention très rapide, une mise au clair avec la famille — et l'on ne réussit pas à tous les coups. Je me souviens d'une fille qui a fait trois secondes. Ce n'est qu'à la fin de la deuxième seconde que les parents ont accepté son orientation vers une première F8 (carrières sanitaires et sociales) qui était l'objectif de la gamine dès la troisième ! Pour y parvenir, elle a dû recommencer une classe de seconde, « spécifique » celle-là, enfin adaptée à ses projets et ses aptitudes. Elle est actuellement en BTS et s'y comporte en brillante élève. Elle m'a expliqué ses échecs relatifs : trois ans, dit-elle, lui ont été nécessaires pour faire valoir son point de vue. Tout ça parce son père protestait dans mon bureau : « Je suis colonel. » Je répondais : « Cela n'empêche pas votre fille de devenir infirmière. »

Parfois, la concertation ne donne rien. Si tout bloque, si le jeune est en refus total, il m'arrive de l'expédier dans l'enseignement privé en pleine année scolaire, avec son consentement et le consentement des parents. En pareille circonstance, je n'hésite pas à multiplier les coups de téléphone, fût-ce à des institutions dont le sérieux intellectuel ne m'est guère connu, mais qui fonctionnent par classes de 15 et acceptent les cas limites. Le seul problème de conscience que j'éprouve alors est lié à des considérations financières : la solution n'est pas accessible à tous.

Il n'est pas mauvais, quelquefois, d'inscrire un élève dans un internat de province parce qu'il a trop de distractions au quartier Latin ! Un gosse m'a lui-même conseillé : « Il faut me mettre sous cloche. Mon cousin est disquaire sur le Boul'Mich, alors je m'arrête là, et je ne remonte pas travailler chez moi, donc je perds beaucoup de temps. Est-ce que vous connaîtriez un internat ? » Oui, j'en connnais un, à Saint-Étienne, qui nous a pris plusieurs éléments en cours de scolarité. L'accès par le train est facile. Ils sont vraiment au vert. Les distractions locales sont très limitées. Ils redémarrent ensuite très bien. Et on les retrouve l'année d'après, si le collègue est d'accord, si l'intéressé ne préfère pas rester au vert. Le style de décision rapide exige, j'y insiste, des lycées à taille humaine, un suivi concerté des conseils de classe qui se prononcent sur des visages et pas sur des chiffres, des papiers — voilà pourquoi j'attache une telle importance à la présence physique de chaque élève.

Fénelon héberge une population assez typée où abondent les enfants de ministres, d'inspecteurs généraux, d'intellectuels renommés, etc. Il en résulte de fréquentes pressions concernant les inscriptions. Mais non pour les jugements, les conseils. Jamais. En revanche, pour recaser à Fénelon des élèves qui n'auraient pas obtenu satisfaction ailleurs, le jeu des recommandations pour l'inscription redémarre. Le collègue de prépa me signale : « Tiens, Untel a été introduit chez moi par M. Untel ou par Mme le recteur elle-même. » Moi, cela ne me scandalise pas, je dis tout aux professeurs :

d'où vient la recommandation, pourquoi je donne satisfaction. Et je dis aussi à la personne qui recommande que deux cas de figure sont concevables : ou bien le dossier est recevable, et je suis très contente qu'on se soit adressé à nous plutôt qu'à quelqu'un d'autre ; ou bien le dossier n'est pas recevable. J'explique pourquoi et je demande (dans l'hypothèse où mon interlocuteur est un supérieur hiérarchique) si je prends quand même. Le plus souvent, cette dernière attitude déclenche une fervente dénégation : « Je vous remercie beaucoup, madame le proviseur, de votre courage, de votre honnêteté, etc. S'il ne doit pas tenir, si ce n'est pas une bonne chose que de le mettre dans cette classe, non, merci bien. » Plus rarement : « Je vous demande de l'inscrire, je ne vous demande pas de le garder. Je ne suis moi-même qu'un intermédiaire chargé de lui trouver une place à Fénelon : vous voudrez bien le prendre à Fénelon. » Dans ce cas-là, je transmets aux professeurs : « C'est quelqu'un qu'il faut inscrire. On le conservera s'il fait notre affaire. Sinon, nous sommes autorisés à le débarquer. »

Ma première règle est la transparence. Et la seconde d'accepter au même titre la recommandation d'un ancien élève que la recommandation d'un sénateur ou d'un député. Les « anciens » ne sont pas peu fiers quand ils savent qu'ils possèdent le même « droit de recommandation » que les ministres ou le recteur soi-même. En général, ils ne se trompent pas beaucoup. Ils nous envoient des élèves qui sont bien dans cette maison, qui ne sont pas forcément performants à la fin de l'année, mais qui sont heureux, qui ne sont pas des fâcheux, qui admettent le règlement, adoptent le langage du lieu et déjeunent à la cantine afin de procurer quelques sous au proviseur. Bref, qui élisent un projet d'établissement autant par radio tam-tam qu'après patiente lecture. Au vrai, la cooptation entre élèves est le procédé de recrutement le plus satisfaisant et le plus efficace.

Nos critères de jugement, nos conseils souverains auront meilleure allure quand plus d'air circulera dans nos classes et nos couloirs, quand les ambitions des programmes auront été revues, quand on n'éprouvera plus le besoin d'infliger à un garçon de terminale C le programme de math spé d'il y a vingt ans pour tester ses aptitudes futures. J'ai tendance à penser que ce sont les rythmes scolaires, les méthodes d'enseignement, la formation des enseignants et les programmes qui sont en cause, mais nullement le rythme de vie du jeune lui-même et que ce n'est pas en chargeant ou en allongeant sa scolarité qu'on trouvera des solutions.

Un redoublement, par exemple, n'a d'utilité que s'il est récupéré par l'individu dans sa propre dynamique. S'il veut par lui-même refaire une sixième après sa seconde, il faudrait lui offrir cette possibilité. Il est à peine caricatural, mon exemple. Quand, tout à coup, un élève découvre ce dont il a besoin et désire réellement l'expérimenter, le système éducatif devrait être capable de l'entendre. Et de lui fournir, non de gros appareils, mais des petites structures de soutien temporaire, telles les études du soir ou ce qu'on nomme des « colles » au niveau prépa. L'important n'est pas d'alourdir mais d'alléger ; pas d'allonger mais d'adapter. On me dit souvent qu'un gosse, l'an prochain, « aura mûri ». Rien n'est moins sûr. Il aura vieilli, mais il n'aura pas nécessairement mûri. On dit aux élèves : « Il faut redoubler pour mûrir. » Et puis, quand ils ont redoublé : « Comme vous êtes vieux ! »

En ce sens, je ne souhaite guère passer pour un « penseur » de l'éducation. J'aime bricoler et je n'éprouve d'assurance que dans la relation concrète. Les enfants, je les aime chauds et vivants. Je veux bien m'occuper d'élèves, mais de ceux dont je connais les chaussettes, les pompes, la coupe de cheveux. Savoir combien de temps ils ont été punks, s'ils ont une raie sur le côté. Certains, temporairement, m'énervent, m'échauffent les oreilles. Je conserve quelques sournois dans le collimateur. Il s'en trouve même que je n'aime pas.

En cherchant bien...

Mais je voudrais, surtout, que la mission d' « orientation » qui nous est confiée soit effectivement remplie. Non point comme on remplit un dossier, mais comme on remplit un contrat.

8. Papa, maman, l'échec et moi

Où madame le proviseur avoue
sa coupable inclination pour les orphelins

L'échec scolaire est, on l'a vu, la plus relative des notions, et par rapport aux projets de l'élève, et — plus souvent — par rapport au projet familial. Si préparer l'X à Louis-le-Grand était le projet, n'être en terminale C qu'au lycée Fénelon, et donc accéder à des classes de mathématiques supérieures qui ne seront peut-être pas celles de Louis-le-Grand, c'est déjà un « échec ». C'est vécu aussi douloureusement qu'une réorientation en fin de seconde ou le passage après deux secondes, par exemple, vers une première G. Telle est notre loi de la relativité.

A Fénelon, le vrai malheur, la section qui suscite la honte, le désespoir, la souffrance intégrale, c'est la section G. J'ai vu des élèves, en conseil de classe, manifester quelque chose qui ressemblait à une nausée, au sens physique du terme, quand je leur conseillais, après avoir bien préparé le terrain, après avoir amené les choses délicatement, une première G. Je leur expliquais pourtant qu'il s'agissait d'un signe de confiance, vu leurs résulats en français, qu'on n'admettait pas tout le monde en première G. J'ai quand même observé des manifestations de haut-le-cœur, et je ne suis pas convaincue que, parmi l'assemblée des professeurs, certains n'étaient pas sur le point de partager cette réaction. Naturellement, pour les délégués parents d'élèves présents au conseil de classe, c'était le bourreau d'enfants qui venait de s'exprimer. Il fallait que je retire ces propos infamants. Tout, s'agissant d'échec, est donc relatif — on le vérifie aisément lors des procédures d'orientation.

Mais il est une autre manière, beaucoup plus quotidienne, de vivre l'échec : le décalage, par exemple, entre la notation en troisième et en seconde. Dans maintes familles, c'est un drame qui appelle un accompagnement psychologique et scolaire rapide ; on en arrive à cacher les notes aux grands-parents, à priver l'élève de bicyclette, de sport, etc., parce que l'échelle de ses notes s'est modifiée entre la troisième et la seconde. Il nous semble, lors des réunions de parents d'élèves, avoir annoncé la chose ; il semble que les collèges préparent cette transition. En réalité, toutes ces précautions ne rassurent pas les parents qui raisonnent de façon comptable et considèrent que nos indications concernent tout le monde sauf leur progéniture. Et la progéniture elle-même n'a point été prévenue par ses professeurs de troisième, croit-elle, parce qu'elle n'a pas voulu entendre l'information. D'où des situations de souffrance réelle dès la classe de seconde.

Quand le désespoir est par trop patent, quand le projet individuel ou collectif paraît pulvérisé, on voit l'élève et on voit la famille. Parfois, la famille seule, parce que certains élèves, blessés dans leur amour-propre ou épouvantés par le système scolaire, se terrent et se taisent. Un chef d'établissement, d'ordinaire, ne reçoit dans son bureau que deux catégories de clients : des malheureux bruyants et des malheureux résignés. Mais une troisième catégorie est encore plus inquiétante pour l'institution et pour le proviseur, en ce qu'elle incarne un échec gravissime du système, c'est l'élève qui croit que la règle du jeu veut qu'il se taise, que son désarroi était écrit de tout temps et que le système scolaire a cette finalité-là. En quatre mots : « Je vais être orienté. » C'est vécu ainsi : « Étant donné les notes que je récolte, je vais être orienté, donc je me tais, je me camoufle, et peut-être ma seule chance de passer entre les gouttes, donc de passer dans la classe supérieure, est-elle de me fondre dans le paysage, de disparaître. » Ce sont ces enfants qui m'inquiètent le plus. Il est difficile d'imaginer ce qu'ils sont, ce qu'ils vivent.

Dans la catégorie « désespoir bruyant », il y a ceux qui se manifestent tout seuls et ceux qui se manifestent avec parents, voire avec association de parents. Première remarque : ce n'est que lorsque c'est vraiment très grave et que l'échec prévaut dans les disciplines scientifiques qu'on voit papa et maman rappliquer. Papa se dérange pour les maths — c'en est caricatural. Quand se présentent des difficultés en langues ou dans les disciplines littéraires, ou quelque incompatibilité d'humeur avec un professeur, c'est pour maman. Papa n'intervient que si la filière première S et terminale C commence à s'éloigner. Quant au reste, c'est maman et maman seule.

Deuxième constat : je reste confondue, s'agissant d'élèves du second cycle, voire de classes préparatoires, que nombre de parents prennent rendez-vous en l'ayant caché au petit. C'est la première question que je pose. Auparavant, je ne la posais pas : il me paraissait aller de soi que, si l'on parlait de la scolarité d'un être qui n'était déjà pas physiquement présent, sous prétexte qu'il était en cours (je dis bien « sous prétexte »), ce dernier devrait, à tout le moins, en être informé. Maintenant, je pose la question puisque divers parents concluent l'entretien par : « Et surtout, ne lui dites rien. » Que des gens qui vont voter dans deux ans soient ainsi traités par leur famille, alors qu'ils sont malades du système scolaire, revient à ajouter une seconde maladie — une crise relationnelle avec les adultes — à la première. Sous de tels auspices, l'entretien avec la famille, s'il n'est pas voué à l'échec, s'annonce extrêmement difficile. Et je me rends compte que je me durcis, que je suis sévère à l'égard des parents et qu'en réalité il ne sort quasiment rien de constructif dans des conditions pareilles.

Pourtant, lorsque la parole se libère, je suis le curé d'Ars du système éducatif. C'est incroyable comme on entre dans l'intimité des visiteurs. Je n'ai pas tâté d'autres métiers, tels psychiatre, juge pour enfants, voire policier, mais j'imagine que leur bureau est du même type que le mien. Les genres sont incroyablement mêlés : à propos de scolarité, on est amené ou à tout déballer, à tout truquer ou à tout camoufler. Évidemment, les parents d'élèves du lycée Fénelon forment un public qui est passé maître dans l'art du discours. On parle énormément, longuement, avec parfois une excessive sincérité (qui dépasse de beaucoup ce que le chef d'établissement voudrait entendre, notamment en matière conjugale). Je dis souvent que si je vis dans le célibat, c'est probablement pour ne pas avoir à régler les problèmes conjugaux qui se présenteraient immanquablement et dont je suis l'involontaire témoin chez les autres. Mes interlocuteurs, eux, n'hésitent pas à tout déballer, à remonter très loin, jusqu'à la façon dont ils ont été élevés, aux complexes que leur père leur a légués. Par rapport au début de ma carrière, tant comme professeur que comme chef d'établissement, j'avouerais presque que les relations se sont « psychiatrisées ». Y compris lors des commissions d'appel, des révisions de conseils de classe.

On prend aujourd'hui en compte, dans les discours qu'on tient sur les élèves, d'autres éléments que les données purement scolaires qui prévalaient quand, moi, j'étais élève. Je serais fort malvenue de le regretter : j'ai manifesté l'opinion inverse à propos de l'orientation. Mais cette évolution légitime a donné droit de cité au psychologique. Et, à partir du psychologique, au « cas » ; de plus en plus, dans les dossiers d'élèves à la rentrée, on lit : « Je suis en psychanalyse depuis n mois », « J'ai un psychothérapeute qui me suit », etc. Les élèves revendiquent cette dimension, même dans leur fiche de renseignements. Point que personne, d'ailleurs, ne leur demandait, qu'ils fournissent en supplément. Ce « pouvoir psy », soudainement introduit, vous explique, en somme, que c'est parce qu'il a mal tué son père que le fils rencontre des problèmes en physique. Et le déballage de toute la vie privée devient la dernière chance du parent pour « sauver » — puisque c'est bien l'enjeu — son enfant de l'échec, ou au moins pour peindre de couleurs moins tristes ses difficultés scolaires.

Le fait est sûrement exacerbé dans le VIe arrondissement mais je pense que Fénelon est justement intéressant de ce point de vue parce qu'il pousse jusqu'à l'extrême les vices, les travers, la logique du système général. Quand je rencontre des collègues de province, quand je regarde la télévision, c'est toujours le même message : attention, votre enfant est en échec scolaire, n'acceptez pas l'échec scolaire, ça peut être une maladie ou une défaillance du système, c'est ou bien à soigner, ou bien à inscrire au débit de l'Éducation nationale, de la société, voire de quelque professeur névrosé. Et je décèle sous ce langage toute une interprétation qui est la caricature d'une démarche ou d'une tendance en elles-mêmes fort bonnes. Ne pas considérer l'élève comme une simple machine à rendre des devoirs de maths, nous l'avons voulu. Mais nous l'avons voulu avec des excès systématiques.

Les parents qui font établir le QI de leur fils, c'est passé de mode. En revanche, divers tests d'aptitude nous sont régulièrement adressés. On m'expédie des pièces à verser au dossier, par exemple des appréciations décernées lors du dernier camp de vacances, un stage « math-ski ». Voilà un ingrédient nouveau auquel il faut qu'on s'intéresse : « math-ski » apporte un plus pour le contrôle continu en EPS [1] et, chemin faisant, ou piste faisant, on montre que, grâce à l'altitude alpine, le candidat au baccalauréat s'élève également en mathématiques. Cela vaut bien l'attestation du médecin de famille qui certifie que le passage dans la classe supérieure ne saurait être que thérapeutique et qu'un redoublement provoquerait une régression... Bref, la clientèle se défend avec tout ce qui peut étayer le dossier de la défense. Tout et n'importe quoi. Au demeurant, les associations de parents d'élèves encouragent le phénomène, incitent à épaissir les dossiers, à accumuler les pièces.

Beaucoup de mes collègues déplorent la virulence de leurs visiteurs. Dans mon bureau, je rencontre plus des maniaques de la procédure que des parents agressifs. Ces derniers

1. Éducation physique et sportive.

se font généralement les dents sur les professeurs, critiquant en bloc leur pédagogie, ce qui évite de s'interroger sur la relation à l'élève et les attendus de la décision contestée. Moi, mon problème, ce sont les as de la procédure, qui collectionnent les attestations, les tests satisfaisants, les bilans d'aptitude, les photocopies de tous les bulletins depuis l'école maternelle — où ils ont encadré en rouge tout ce qui était positif. Ils y joignent (outre les certificats de vaccinations, de manière à ce que le dossier soit vraiment complet, parce que « seul un dossier complet aboutit ») tous les *satisfecit* des professeurs de musique et de sport, les brevets sportifs populaires ou équivalents, les diplômes de natation, bref, tous les ingrédients censés nous conduire à dire *amen*.

A mon égard, les parents agressifs se manifestent au téléphone quand ils reçoivent une réponse négative concernant une admission en classe préparatoire. Ils exigent de parler au proviseur pour une décision dont ils considèrent qu'elle est insuffisamment motivée : de toute manière, leur fils ou leur fille est le génie de l'année, on a manqué l'occasion, on est injuste d'abord, méprisable ensuite. Certains hurlent dans le combiné afin de proclamer l'évidence que tout le reste de la France a perçu, sauf vous, chef d'établissement. Cela peut atteindre des aigus considérables. On ne vous accole pas vraiment des noms d'oiseaux, mais on vous traite de demeurée. Et, naturellement, « vous aurez de mes nouvelles ». En gros, ceci : « Madame, vous êtes complètement abrutie, tous ses professeurs considéraient que son dossier passerait comme une lettre à la poste, il aurait d'ailleurs pu avoir des prétentions infiniment supérieures : je m'étais adressé à vous parce qu'on m'avait dit, et je l'ai lu dans la presse, que vous aviez le souci de vos élèves, merci bien, vous entendrez parler de moi, vous découvrirez des mises au point dans les journaux. » Semblable discours n'est jamais anonyme. Il trahit et libère le dépit du non-client, de celui auquel on a interdit la porte avant qu'il entre.

Celui qui est dedans, en revanche, ne pousse point jusqu'à ces extrémités avec la patronne du lieu. Il passe ses nerfs sur le conseiller principal d'éducation, éventuellement sur le censeur, sur l'assistante sociale qui n'a rien fait, rien compris, rien plaidé, et de temps en temps sur un professeur. Reste que le client de la maison, vis-à-vis du proviseur, joue sur un autre registre : les maladies psychologiques, la situation familiale, voire l'argumentation du marchand de tapis — « Laissez-le tenter un essai, etc. ». Le recours à ce registre, lorsqu'on est devenu client de la maison, signifie qu'on a pris connaissance des obsessions du proviseur (d'autant que je multiplie les déclarations publiques sur ma politique). Les parents ne sont guère en peine de faire vibrer les cordes sensibles. Je repère nettement, dans leur discours, l'intériorisation de mon discours propre sur l'orientation. On me le ressort et je le mérite bien. On me dit que le gosse a droit à un essai, a droit à l'ingratitude, que s'il veut s'en aller à Henri-IV ce n'est pas grave — c'est grave pour nos statistiques, ce n'est pas grave du tout — et que, s'il y puise une motivation supplémentaire, un regain d'intérêt, c'est l'illustration même de ce droit à l'aventure dans la classe supérieure dont je suis l'avocat.

L'idée, profondément ancrée en moi et vérifiée par l'expérience, qu'on ne fait pas boire un âne qui ne veut pas boire, qu'installer un élève sur une chaise ne garantit nullement qu'il y restera et y travaillera, l'idée que l'expérimentation est un détour obligatoire dans l'éducation, telle est, c'est vrai, ma pierre angulaire. Mme de Romilly écrit que la pédagogie est l'art du détour dans la pensée. Moi, j'observe qu'à certains moments, les élèves cessent de penser : ils vivent, il leur faut un détour géographique, une pause. Ils en conviennent eux-mêmes et ne s'encombrent pas du désir qu'ont les parents de sauver la face. C'est plus facile de négocier avec les élèves qu'avec les parents. J'ai commis l'imprudence de déclarer un jour, dans un journal : « Qu'est-ce qu'on serait heureux s'ils étaient tous orphelins ! » Les associations de parents d'élèves l'ont très mal pris : elles avaient raison, c'est une mauvaise boutade (liée au souvenir que j'avais conservé de mes ouailles de Nevers, dont beaucoup dépendaient de l'aide sociale à l'enfance).

Il n'empêche, avec les élèves, on peut s'expliquer ; avec les parents, rarement. Ils répètent : « Ma fille veut faire une hypokhâgne. C'est elle qui le veut ! » Est-ce si limpide ? Elle a l'air, la fille, de le vouloir, mais voilà peu elle ne le voulait pas, on le voulait pour elle, et finalement elle le veut aussi... Et les parents insistent : « Votre hypokhâgne, au moins, est-elle assez sélective ? Nous la verrions si bien, cette petite, professeur de lettres classiques. » Moi : « Et elle, elle se voit comment ? Vous savez un peu ce qu'est ce métier ? Vous avez pensé qu'il y a des profs très malheureux ? Il n'en faudra pas énormément, des professeurs de lettres classiques, il faut d'autres gens dans la nation. » La mère m'interrompt : « Oui, je ne suis pas sûre que Sciences-Po et l'ENA, ça ne lui conviendrait pas mieux. Rien n'est dit encore. » Rien n'est dit parce qu'elle n'a rien dit. Elle n'a pas choisi...

Il faut donc débroussailler le maquis des vœux familiaux avant de retrouver l'élève. Je me rappelle avoir fait, à ce propos, une expérience instructive. J'étais invitée par les parents de l'aumônerie de l'enseignement public dans le XIIIe arrondissement qui voulaient que je leur donne le point de vue d'un proviseur sur la réussite. Je crains fort de ne les revoir jamais. D'emblée, je leur ai dit que la réussite en question n'était pas la leur. Cette seule idée a suscité un divorce complet entre eux et moi. J'ai senti l'électricité monter lorsque j'ai ajouté que je reconnaissais aux jeunes le droit à l'ingratitude et refusais aux parents le droit aux projets préétablis sur leur progéniture. Ils ont objecté que tel n'était pas leur avis et que, en tant que parents chrétiens, ils étaient porteurs non seulement d'un projet de profession, mais d'un projet de salut. Bref, il étaient sincèrement indignés, pris à rebrousse-poil, si bien que j'ai dû mettre un peu d'eau dans mon vin. J'ai cependant maintenu que la réussite était celle d'un être humain, lequel accédait progressivement à une certaine vue de lui-même, et que la condition première d'une réussite de l'enfant me paraissait l'abandon des projets parentaux. Nouveau chœur de lamentations : « Et leur âme, et leur salut éternel, etc. » J'avais pourtant strictement limité mon propos aux élèves de lycée et de classes préparatoires, précisé que je ne tiendrais certes pas ce langage à des parents d'enfants plus jeunes !

Je réclame pour les jeunes qui dépendent de moi le droit à l'existence. Ils vivent déjà assez péniblement, pourquoi faut-il que mon « confessionnal » s'emplisse encore de plaintes, doléances et frustrations ? Certaines fins de semaine, je me demande si le malheur humain est à ce point incommensurable ou si les enflures rhétoriques, les récits dramatisés pour la circonstance, pour la beauté du dossier, reflètent la réalité. Mes collègues m'envient : « Toi, tu as des élèves privilégiés », et pourtant, je n'entends que douleurs, déprimes, désarrois ressassés et étalés.

Les enfants sont-ils actuellement témoins de tant de drames, de crises ? Ma propre enfance, malgré la modicité des revenus familiaux, ne ressemblait nullement à cela. Entre l'adolescente que j'étais et mes grands-parents, mon père et ma mère étaient bien là, présents, attentifs. Je suis aujourd'hui frappée de constater combien la génération des grands-parents a charge des jeunes, tandis que la mère est dépressive, que le père est absorbé par son travail ou par le chômage. Une mère est venue me voir pour m'avouer : « Les résultats de ma fille ont considérablement baissé ce trimestre et je voudrais vous en fournir l'explication avant le conseil de classe. La vérité, c'est que c'est elle qui a entièrement assumé la décision de mon divorce, qui m'a poussée à me déterminer ; elle a dépensé ses propres forces pour que, moi, j'aie le courage de trancher et maintenant c'est encore elle qui en gère les retombées. » Franchement, laquelle est la mère de l'autre ?

Les déchirements familiaux semblent assez lourds de conséquences dans des milieux qui ne connaissent guère d'autres sources d'échec. Je ne crois pas que j'aurais avancé la même hypothèse à Nevers, où les facteurs pathogènes, à commencer par l'alcool consommé par les élèves, étaient multiples. Mais autour de Fénelon, c'est, sinon le divorce, du moins des problèmes de disparition d'un foyer ou de réaménagement complet d'un foyer qui interfèrent le plus souvent. Non point le divorce lui-même : le fait d'avoir des parents séparés ne conduit pas l'élève à manifester des difficultés spécifiques ou une tristesse quelconque. Il faut quelquefois examiner de très près une fiche pour s'apercevoir qu'y sont mentionnés deux adresses pour les parents, ou deux noms. Ce sont les perturbations graves du milieu de vie — avec ou sans rupture — dont les effets sont mesurables.

La chose est très nette dans les classes préparatoires qui constituent, en matière psychologique, des temps de profonde régression. A cela, il faut que les parents veillent. En prépa, par exemple, des élèves qui ont été soignés pour dyslexie au collège, voire à l'école primaire, redeviennent dyslexiques. Quand les parents attendent que leur gosse soit tiré d'affaire pour se séparer, l'opération, si délicate soit-elle, peut être vécue dans l'harmonie, dans la compréhension et dans la dignité. Mais attention à l'illusion que crée l'après-bac. A l'université, un étudiant est probablement un adulte aspirant à une certaine autonomie. En classe préparatoire, il a plus que jamais besoin d'une cellule de vie, d'un lieu de vie.

Beaucoup d'élèves craquent, me semble-t-il, à l'occasion de l'apparition d'une nouvelle génération d'enfants dans la famille. Par définition, la chronologie fait qu'on perçoit l'onde de choc chez des élèves qui ont atteint vingt-deux ou vingt-trois ans. Ceux qui sont en seconde n'ont pas eu le temps d'apprécier l'ampleur de ces bouleversements. Découvrir, quand on a quatorze ans, un petit frère qui vient au monde, ce n'est pas encore un changement de génération. En revanche, le « grand » qui vit dans une famille en voie de totale restructuration aborde sa classe préparatoire dans une atmosphère si anxiogène qu'il a, ponctuellement, huit ans d'âge psychique, avec les conséquences les plus imprévues. Récemment, un garçon de math sup était si bouleversé et enthousiaste d'avoir un petit frère au berceau qu'il négligeait ses colles pour le langer et lui donner le biberon...

En d'autres termes, je ne soutiendrai pas que la corrélation soit mécanique entre les fluctuations de la vie familiale et celles de la vie scolaire. Ce dont je suis convaincue, c'est que certaines étapes de cette dernière sont plus périlleuses que d'autres. On a tendance à regarder vers les petites classes et à considérer que, ensuite, l'élève se blinde, la cuirasse se durcit. Proviseur d'une maison dont la « spécialité » est la préparation aux concours des grandes écoles, je certifie que c'est à ce niveau que les plus fortes turbulences sont à craindre.

Comment, chez nous, le désordre se manifeste-t-il ? A Nevers, l'alcool était l'ennemi numéro un. A Fénelon, ce n'est guère un souci majeur. De temps en temps, un anniversaire d'élève génère une petite biture ; le lendemain matin, l'intéressé n'a pas les yeux en face des trous et les parents s'insurgent, mais rien de sérieux. La drogue, plus j'en parle et moins je sais ce dont il s'agit — c'est vraiment comme la culture : moins on en a, plus on l'étale. Je ne parlerai donc pas savamment de ce drame-là.

Nos problèmes spécifiques concernent plutôt l'absentéisme, d'abord sélectif, puis chronique, avec des comportements étranges liés de toute évidence à l'anxiété. Un élève, par exemple, me confie :

— C'est vrai, je ne viens plus au cours l'après-midi, et si je ne viens plus l'après-midi, c'est parce que les cinémas ouvrent à midi : je vais au cinéma à partir de midi.

— Pourquoi allez-vous au cinéma à cette heure ?

— Parce qu'au cinéma il fait nuit.

— Pourquoi préférez-vous qu'il fasse nuit ?

— Parce que le jour, je ne tiens plus, je n'y arrive plus.

Le cinéma représente pour lui un moyen commode de plonger dans la nuit dès midi, d'en avoir fini avec la scolarité à midi pile puisqu'il existe au moins un endroit où règne l'obscurité. Ce n'est pas une grave déviance, cela ne conduit pas directement chez le psychiatre, ou en tout cas pas à ce stade, mais le geste en dit long sur la rupture de ce garçon avec sa vie scolaire, sur l'impossibilité de l'assumer. Voilà mon casse-tête majeur : la saturation se manifestant par des conduites d'absentéisme bizarres, avec ou sans fugues (mais on ne le sait pas toujours). Dans un externat, se former une idée du nombre des fugues, c'est vraiment une gageure, il faut être doué de double vue. D'autant qu'en province, on les croise dans la rue, les fugueurs, pas à Paris ! On peut s'offrir des fugues très près et très facilement, à Paris...

Une maladie me paraît quelque peu en régression actuellement, et je respire parce qu'elle m'a beaucoup préoccupée jusqu'à ces deux dernières années, c'est l'anorexie. Les cas d'anorexie, de boulimie, d'abus de médicaments — notamment de tranquillisants dans les classes préparatoires — restent cependant classiques. Il arrive que des élèves rédigent leur dissertation jusqu'à 2 heures du matin puis, ne parvenant pas à dormir, prennent des somnifères et les dosent si mal qu'ils s'effondrent le lendemain à 1 heure de l'après-midi. L'infirmière s'inquiète : « Elle est dans un état comateux ! » Eh bien non, la fille effondrée a rebasculé dans le sommeil parce que la deuxième pilule, ou le deuxième sédatif, provoque un effet à retardement. Le rythme parisien est passablement épuisant. Mais, pire, la vie scolaire achève de détraquer les gosses pour lesquels elle constitue une sorte de contre-hygiène, de poison. D'où l'absentéisme, l'anorexie, les fugues.

Les tentatives de suicide, d'après ce que disent les collègues, sont plutôt le lot des principaux que celui des proviseurs. Mais nous ne sommes pas à l'abri. Une seule suffit pour marquer une carrière de chef d'établissement. Une tentative de suicide d'un élève ne s'oubliera jamais, quel que soit le nombre d'élèves qu'on ait vu défiler. Je parle des affaires sérieuses, non des appels au secours pathétiques jusqu'à la cocasserie. Ainsi l'un de mes internes, à Nevers, avait-il fait une de ces tentatives dont on est sûr qu'elles ne peuvent qu'échouer. Sitôt ressuscité à l'infirmerie, le goût de vivre lui était revenu au galop : « Si j'avais su que le censeur et le proviseur étaient si gentils, jamais je ne me serais suicidé... » Ces souvenirs-là sont, si j'ose m'exprimer en pareils termes, ceux de suicides réconfortants. Mais quand le désespoir est affreux, irréversible, quand le geste est réellement commis, c'est une empreinte qui ne vous quitte plus. J'ai fréquemment été touchée d'entendre des proviseurs en retraite questionner un jeune collègue : « Vous est-il déjà arrivé d'avoir chez vous un élève qui se suicide ou essaie de se donner la mort ? » C'est dur, c'est la souffrance la plus grande qu'on doive affronter dans cette fonction même si, numériquement, la liste des cas est fort courte.

Sur un registre beaucoup moins dramatique, et quasi banal, il convient de ranger parmi les manifestations psychiques de l'anxiété tous les comportements bizarres qui trahissent de véritables maladies sans en avoir l'air. Par exemple, les « anti-sèches » totalement imbéciles, les falsifications de notes, les excuses invraisemblables, les faux tellement grossiers qu'ils relèvent d'une attitude kamikaze. Certains élèves passent infiniment plus de temps à confectionner des « anti-sèches » qu'il ne leur en faudrait pour préparer honnêtement l'interrogation écrite. Chez quelques-uns de mes pensionnaires, c'est la seule occupation scolaire qui subsiste, l'unique raison sociale effective : truquer, truquer tout.

On triche énormément, aujourd'hui, avec le secours de technologies merveilleuses. Il y a d'abord le fameux « tippex » qui permet de fabriquer des bulletins sur mesure. Vous les badigeonnez en long, en large, en travers ; ou bien à partir de trois sources vous confectionnez un document splendide et, une fois satisfait, vous le reproduisez en n exemplaires. La photocopie miniature offre d'autres avantages : il est facile, maintenant, de conserver au creux de la main des informations beaucoup plus détaillées que ce que les carabins, autrefois, consignaient laborieusement sur leurs manchettes. J'en connais qui cachent l'objet du délit dans leurs chaussettes, d'autres qui écrivent sur leurs cuisses.

Et puis, au nombre des nouveaux modes de tricherie, j'inscrirai les gens qui ne veulent absolument pas avouer que l'élève prend des leçons particulières. Cela me paraît une des maladies de nos élèves et, à Fénelon, un vrai fléau. Au risque d'être accusée de trop pousser le paradoxe, j'irai jusqu'à soutenir que, dans la population scolaire qui m'est confiée, et notamment chez les préparationnaires, ce fléau me préoccupe plus que la drogue. Car la drogue entraîne, si elle génère une dépendance, la sortie quasi obligatoire du système scolaire — et cela très rapidement. (Quoique, en ce domaine, le chef d'établissement soit à coup sûr le cocu de l'histoire : heureux, mes collègues qui déclarent sereinement n'avoir jamais rencontré le moindre problème de drogue dans leurs murs...) « Petits cours » ou gros dégâts, la conspiration du silence, en tout cas, est constante, y compris de la part des parents. Ces derniers n'ont qu'une crainte, c'est qu'on éjecte leur rejeton du lycée, pour une raison ou pour une autre, si grave soit-elle. Ils ont généralement tendance à dissimuler les faits, à les travestir. Il faut que le pépin survienne pour qu'ils vous mettent enfin au courant. Voilà deux ans, j'ai ainsi découvert que plusieurs élèves fréquentaient les égouts, les catacombes, où ils s'assemblaient et se procuraient de la drogue au meilleur coût. Tant qu'une poignée d'entre eux n'a pas été traînée au commissariat, je suis demeurée dans l'ignorance du phénomène sur lequel, pourtant, quelques rumeurs couraient. Cela dit, j'y insiste, la véritable « drogue » dont usent et abusent, fréquemment à mon insu, les garçons et filles qui me sont confiés, ce sont — surtout après le bac — les leçons particulières qui accroissent encore leur charge de travail et tendent à modifier hypocritement les règles du jeu.

On ne me jugera sans doute pas assez tendre envers les parents pris individuellement. S'agissant des fédérations de parents, je crains d'aggraver, sur certains points, mon cas. Mais le jeu de la vérité veut qu'on parle quelque peu à l'emporte-pièce, pourvu que l'interlocuteur y décèle une invitation au dialogue et non à la polémique. Dans le second cycle, les fédérations de parents participent aux activités périscolaires, interviennent dans la gestion de l'établissement, examinent les budgets, la gestion des postes. Que les parents soient aussi administrateurs, c'est extrêmement salutaire pour tout le monde. Je suis plus partagée au sujet des conseils de classe. Si j'avais le choix — dans un secteur où les représentants des parents ont tendance à être recrutés parmi les notables, les « personnalités » —, je préférerais que l'accent fût porté sur les pouvoirs et la formation des délégués élèves (formation que les parents pourraient d'ailleurs partiellement assurer). Bref, j'aimerais que la négociation sur le travail scolaire se déroule avec les élus des élèves et que les parents ne se mêlent que du périscolaire et de la gestion. Je suis très contente, lors du traditionnel bal de Fénelon, que l'encadrement administratif de la fête soit mixte — parents, administration et profs — ou qu'à l'occasion d'une activité quelconque, tel parent accompagne les élèves avec les professeurs. Mais l'intervention de l'extérieur sur des difficultés qui sont vécues dans la classe, le rôle d'intermédiaires entre l'administration et les élèves me paraissent des missions ambiguës, difficiles à accomplir et difficilement acceptées par les enseignants.

Ce qui est sûr, c'est qu'on devrait interdire le port de la double casquette, au risque de vider les associations de leurs plus fervents militants. Les « profs-parents » sont un hybride inadmissible, insupportable. Dieu sait pourtant que j'ai milité en faveur des associations de parents ! Mais le coup de grâce, à mes yeux, fut leur comportement durant les manifestations contre la loi Devaquet. Les parents d'élèves ont attendu, épié, guetté, comme les syndicats d'enseignants, le moment où ils allaient enfin s'accrocher, tel un wagon de queue, au cortège des étudiants. Ils crevaient de jalousie et de dépit de ne pas être considérés comme nécessaires, voire indispensables. Et lors des attentats, les associations : « Ne pourriez-vous pas interdire l'entrée du lycée à tout étranger ? »

En conseil d'administration, j'adore les fédérations telles

que la pureté de la doctrine des associations me les livre. J'aime les parents délégués comme représentants de la bonne volonté générale, je les aime lorsqu'ils rédigent des gazettes, je les aime lors des journées portes ouvertes. Ils sont d'excellents supporters, d'excellents défenseurs du lycée. Mais quand je vois les associations emportées par le consumérisme, accumulant les faux pas vis-à-vis des professeurs, je songe qu'il vaudrait mieux laisser les élèves penser et agir. Trop d'abcès s'enflamment parce que les associations sont intervenues et fournissent aux enseignants mille occasions de dérobade. Au lieu d'introduire de la mobilité, le jeu institutionnel exacerbe le réflexe corporatif des professeurs et, bien souvent, on débat d'idéologie plutôt que de débattre de la vie concrète.

La représentativité des associations de parents est suspecte. Leur sociologie ne correspond guère à ce qu'est le monde réel des parents d'élèves mais à une catégorie étroitement limitée : des PEGC [2], des petits profs un peu frileux et qui, quand ils trouvent un autre prof sur lequel s'abattre, se sentent déjà mieux ; et aussi les mères désœuvrées, parfois pieuses, à l'âme de prof refoulé, convaincues qu'elles exerceraient ce métier mieux que quiconque ou qu'elles seraient de merveilleuses assistantes sociales. Femmes au foyer sans profession ou enseignants dont l'emploi du temps libère des plages de liberté, telles sont donc les personnalités phares des délégués parents. Ils ont connu de très beaux jours entre 1973 et 1976 mais leur rôle décroît : maintenant la démocratie est si directe dans les établissements que leur fonction médiatrice s'étiole.

2. Professeur d'enseignement général de collège.

En revanche, ils conservent un rôle actif, productif, quand ils organisent pour leurs adhérents des conférences spécialisées, des carrefours de carrières, des échanges sur les filières, les options qu'offre l'établissement. Reste que le véritable « usager » de l'école, c'est l'élève et non le parent.

A l'échelon des classes préparatoires, les fédérations n'ont capacité à intervenir que lors des conseils d'administration. Les parents, ici, ne pèsent qu'en amont, soucieux qu'ils sont de fabriquer à tout prix des dossiers d'inscription en béton. Ils devraient, à mon sens, s'informer plus attentivement des risques de saturation, de surchauffe, que sécrètent ces usines à façonner des reçus. Au lieu d'exercer cette vigilance, ils se bousculent dans le sens de la pente. Je me dois donc d'achever ce « carnet » par une mise au point sur la situation des prépas.

Au quartier Latin sévit la course aux statistiques, si bien que les établissements cotés, afin de tenir la cote, trient et traquent la clientèle la plus performante. Il s'ensuit une spirale infernale, difficilement compatible avec un épanouissement des jeunes et aussi avec une recherche intellectuelle personnelle, profonde, dégagée — si peu que ce soit — de la quête pure d'un résultat.

Il se produit également quelques ratés du côté des professeurs, dans la mesure où pareille nomination représente une espèce de bâton de maréchal, alloué par un pair : l'inspecteur général est souvent lui-même un professeur de classes préparatoires, issu de taupe ou de khâgne ; il désigne l'un de ses collègues pour le relayer, de manière pratiquement irréversible. Cette charge définitive me paraît, dans une période où les choses vont si vite, très dangereuse : elle suppose que les gens éprouvent spontanément le souci de se recycler, de poursuivre un travail personnel, de sortir de leur classe. Or certains s'enlisent dans une sclérose qui les rend inefficaces. La loi du marché fait que ces professeurs-là sont abandonnés par leurs élèves. On les paie jusqu'à la retraite mais la clientèle déserte les cours. Sous des dehors paisibles, ce système se révèle en réalité cruel en ce qu'il induit, faute de sanction convenable, la pire de toutes : l'humiliation. L'immuabilité, l'impossibilité complète de revenir sur une nomination est malsaine. Finalement, la seule porte de sortie pour les professeurs de classes préparatoires qui ne s'y sentent plus à leur place, c'est l'inspection générale, dont les postes ne sont pas en nombre infini et dont la mission n'est point, en principe, de fournir des placards.

J'ai certes plaisir à être proviseur dans un établissement qui comporte des classes préparatoires car je dois moi-même beaucoup à ces dernières et je pense qu'elles peuvent encore, au moins en partie, remplir les mêmes fonctions auprès des générations actuelles que celles qu'elles ont remplies auprès de moi. Mais j'y ajoute de solides réserves. D'abord, j'ai connu des classes préparatoires en un autre temps et en un autre espace. Et l'idée que je concevais de celles-ci, avant de venir à Fénelon, était plus conforme à ce que j'avais vécu à Besançon, dans une atmosphère exempte de la surchauffe des concours, de la hantise des jurys, de la bagarre fratricide, qu'à l'extrême tension qui règne au quartier Latin. A l'époque, on sortait des classes préparatoires au pis instituteur pourvu d'un poste, au mieux professeur, et l'on y vivait sans inquiétude d'emploi. Cela paraît presque inconcevable actuellement. Bien sûr, nous subissions la traditionnelle avalanche de mauvaises notes, nous nous entendions dire que ce n'était pas un mince progrès que de passer de — 27 à — 18... Mais il n'y avait pas ce souci de l'emploi qui, pour le moment, rend les élèves fous, au point qu'ils réclament des choses complètement contradictoires. Ils demandent un devoir supplémentaire et n'ont pas le temps de le rédiger. Alors, pour faire le devoir supplémentaire, ils ne viennent pas au cours. Ils s'affolent, ils étouffent.

Le proviseur d'un établissement doté de classes préparatoires, lui, est bien dans sa peau. Les élèves qui s'inscrivent chez lui sont les seuls inconditionnels du système. Ils ont un très gros estomac, ils en veulent, ils acceptent de vivre au lycée jusqu'à vingt-deux ou vingt-trois ans. Même s'ils mènent à l'extérieur une vie de couple, ils redeviennent élèves pour la circonstance, justifiant sagement leurs absences. Ils élisent l'institution, avec toute sa réglementation, voire ses sanctions, ses avertissements, ses exclusions de deux jours. Bref, pour le proviseur, c'est un lieu de pouvoir idéal, intéressant.

En outre, un ingrédient des classes préparatoires me paraît être le facteur de démocratisation le plus extraordinaire que le système éducatif français ait inventé : les « colles ». Cette pratique met en jeu une masse financière très importante, exceptionnelle par rapport à ce qu'on dépense d'habitude. L'élève traite une question en présence d'un unique professeur qui lui consacre une demi-heure, lui apporte une correction personnelle, une aide individuelle sur le fond et la forme, lui remet un bilan où sont consignées les remarques qu'il a pu rassembler pendant la colle. C'est un facteur de progrès extraordinaire : des sortes de cours particuliers dispensés par des professeurs d'élite et non par des marchands de rattrapage. Dans de telles conditions, le progrès intellectuel est quasiment assuré. Et aujourd'hui, les colles remplissent encore un office annexe. De mon temps, elles apprenaient surtout à travailler ; on ne se répandait guère en confidences auprès des « colleurs ». Mais, actuellement, elles deviennent simultanément un lieu d'aide sociale, d'aide psychologique, d'aide matérielle à l'occasion ; les professeurs sont amenés à se pencher sur tout ce qui fait la vie de l'élève. C'est une oasis dans la machine scolaire, dans le système des classes préparatoires.

Que dire de plus au crédit des prépas ? C'est là que naît et croît le plus vif appétit intellectuel, à la fois du côté des professeurs et des élèves. On y rencontre les maîtres les plus dépassés par les événements et les pédagogues les plus extraordinaires, qui sont vraiment des éveilleurs à tout ce qui est culture, à tout ce qui est critique contemporaine, à tout ce qui est à la fois tradition et recherche. Je pense à deux professeurs de lettres modernes, en khâgne, qui partagent leurs deux classes, et donc à eux deux exécutent tout le programme de Fontenay-Cloud, mais par moitié, permutant les groupes. Échanger les élèves, échanger les clientèles, avec tous les risques que cela comporte de voir le public brusquement se fixer sur l'un et l'autre perdre son aura, voilà qui est courageux !

Je m'émerveille aussi que les élus admis dans les écoles soient payés pour poursuivre leurs études. Si la formule pouvait être élargie, j'en serais ravie. Car j'ai découvert que, depuis ma propre expérience, le rôle de promotion sociale que je croyais encore assuré par les classes préparatoires a eu tendance à s'amoindrir. On m'a payée pour faire mes études : je n'en suis toujours pas revenue, j'y songe toujours comme à un luxe somptueux. Mais, à présent, les élèves qui tiennent le coup en prépa sont ceux qui bénéficient d'un soutien intellectuel et financier de leur famille, ce sont surtout des enfants d'enseignants, de professeurs d'université. Je regrette que ces filières aient peu ou prou perdu leur dimension de réparation sociale, bien qu'on y accomplisse un bon travail intellectuel.

Les classes littéraires demeurent des foyers de culture, même si cela dérape de temps en temps, même si l'on gave les élèves de travaux supplémentaires pour augmenter les résultats aux concours. Dans les meilleurs des cas, le travail reste extrêmement suivi, proche de l'élève, et déclenche une stimulation intellectuelle effective. En prépas scientifiques, c'est beaucoup plus simple : un élève qui résiste intellectuellement et surtout physiquement à l'entraînement est sûr de se caser et il n'existe pas beaucoup de domaines, dans l'enseignement, où un proviseur soit fort d'une telle assurance, notamment dans l'enseignement technique. Je songe, par exemple, aux élèves de mathématiques supérieures option biologie. Tous, à l'issue de la « sup-bio », sont embauchés. Certains doivent transiter par une petite école, d'autres vont continuer en math-spé et, au bout de deux années, intégreront une école d'agronomie ou assimilée, mais il n'est pas un survivant de la sup-bio qui se retrouve sans rien en poche.

Même dans le domaine littéraire, si l'on retire tous les khâgneux du journalisme, des cabinets ministériels ou des sociétés de conseil, de relations publiques, les effectifs fondent.

Ces voies redoutables conservent, malgré tout, un indéniable avantage : ce ne sont pas des impasses. Il y a pourtant des moments où elles me font peur. La vie de l'élève me paraît tellement décalée... Dans l'Église contemporaine, même les ordres contemplatifs évoluent : l'estomac des novices refuse d'ingurgiter trois litres de soupe par jour. Je ne pense pas que ce soit leur mysticisme qui ait diminué, c'est le mode de vie qui contredit une règle monastique désuète. Le système des classes préparatoires est comparable au système monastique. Il faut des moines : ce sont des témoins vivants qui tirent l'Église vers le haut. Mais il faut également adapter la règle — on n'est peut-être plus obligé de se lever aux mêmes heures que les novices du XVIIIe siècle. La classe préparatoire, prototype de la « réussite », balance ainsi entre deux mondes, pour le meilleur et pour le pire.

9. Ambitions, ambitions...

Où madame le proviseur, tous comptes faits, se méfie de certains oiseaux

Ce que j'ambitionnerais par-dessus tout, c'est de parvenir à tirer le meilleur parti possible du mécanisme que j'ai enclenché, mi-inconsciemment, mi-consciemment. J'ai voulu, depuis dix ans que je travaille ici, rompre la conspiration du silence. Le langage adressé par mon prédécesseur aux administrateurs de la maison était le sempiternel : « Pas de vagues. » Et, sans doute, cette doctrine convenait-elle alors à l'établissement. Mais j'ai souhaité que le lycée se mue en lieu de parole, d'échanges. Je constate que cela marche assez bien de ce point de vue : on s'y exprime abondamment. On s'y exprime même jusqu'aux affrontements, dont certains sont relativement violents, jusqu'à la mise sur la table de conflits très compliqués. J'en arrive à m'interroger sur la gestion de cette expression « libérée », afin que la circulation de la parole agisse concrètement sur les conditions de travail. Mon ambition — il ne s'agit point d'un rêve personnel — serait de trouver un mode de régulation des relations humaines, dès lors que ces dernières sont plus franches, plus ouvertes, donc plus prometteuses et plus brutales.

Je m'aperçois que, sans jouer les apprentis sorciers ni les voyeurs, mes ambitions dépassent encore un peu mes moyens ; que je suis, en matière de gestion de cette expression qui m'est chère, un peu débordée. Il ne s'agit pas de limiter cette liberté, de l'écorner. Je continue d'y attacher une importance primordiale. C'est incroyable ce que les élèves révèlent, individuellement ou collectivement, fût-ce par une pétition ; quand ils en ont assez, ils le disent, ils l'écrivent. Et quand ils sont convoqués pour expliquer les raisons de leur protestation, ils sont là, ils répondent, ils commentent, ils ne se défilent pas, ils argumentent vraiment. Ils exigent des comptes sur les choix d'investissement ou demandent comment sont nommés les professeurs. J'expérimente ainsi les avantages et les limites de la démocratie directe. Au fond de moi-même, quand les secousses sont trop fortes, quand le conflit m'échappe, je connais un moment de doute, puis ma conviction majeure reprend le dessus : cet exercice acrobatique est le seul qui me procure réellement du plaisir. La démocratie représentative, sécurisante, balisée, indirecte, ne charrie jamais autant de richesses que le jaillissement libre de la parole individuelle (mais non anonyme).

Là réside la zone de pouvoir du chef d'établissement : la gestion des relations humaines. Mon credo est qu'il est certainement possible et d'augmenter la production du système et d'accroître l'envie des élèves de travailler en ce lieu et de faciliter ou de développer le plaisir des professeurs à exercer leur métier, à entreprendre du nouveau. Je ne vois aucun autre canal par lequel un proviseur est susceptible de modifier l'état des choses. Encore convient-il d'agir lentement, doucement, en veillant à ne pas casser le moule. Il est des domaines où je n'ai pas avancé beaucoup : l'individualisme de trois conseillères principales d'éducation qui travaillent fort bien, mais séparément ; le service de documentation et la bibliothèque, scindés en deux morceaux que je ne parviens pas à réunir, ni même à accorder...

Dans le secteur scolaire, on se plaint toujours du manque de moyens. C'est à la fois un alibi et une réalité. Je dirais qu'il me manque quelques marges de manœuvre, quelques marges de liberté, des dotations modestes mais permettant une utilisation souple de la machine. Par exemple, il fut un temps où, grâce à l'INRP [1], nous avions à notre disposition une dizaine d'heures sans affectation précise. Il fallait justifier de la manière dont on les avait utilisées, mais on en décidait localement. Ce type de latitude est ce qui me serait le plus précieux. Ces temps-ci, la gestion du contingent d'heures supplémentaires est si rigoureuse, si technocratique, qu'on ne dispose d'aucun créneau, fût-il étroit, pour introduire une innovation. Voici ce que je réclamerais volontiers, avec un tant soit peu de moyens d'accompagnement, aussi bien pour les élèves que pour les professeurs. Par exemple, l'attribution de sortes de « colles » — analogues à celles des prépas — aux élèves de seconde : non point une « thérapie » lourde, mais un soutien. De même, j'aimerais qu'il soit concevable de décharger quelque temps un professeur de deux ou trois heures de cours, soit parce qu'il souhaite participer à un groupe de réflexion, soit parce qu'il est en perte de vitesse et que, si l'on allégeait momentanément sa charge, cela l'aiderait à se remettre sur les rails. L'incapacité où nous sommes de proposer des solutions adaptées à

1. Institut national de la recherche pédagogique.

des cas précis, élèves ou enseignants, est source de gâchis et d'épuisement.

Depuis que la gestion des lycées est confiée aux régions, nous faisons mieux entendre nos besoins financiers et matériels. Mais là n'est nullement l'essentiel. Que le lycée Fénelon soit noir ou ravalé est une question secondaire, pourvu que, peu à peu, le cadre de vie et de travail des jeunes soit amélioré — progressivement mais sensiblement. De même, je me réjouis de dégager un modeste volant de ressources propres, qui nous procurent un petit ballon d'oxygène, pour améliorer la pédagogie : location de locaux, espace publicitaire, etc. L'installation d'un panneau de « pub » sur nos murs a d'ailleurs suscité une controverse chez les élèves, jusqu'à ce qu'ils découvrent que ledit panneau rapporte 60 000 francs par an. Dans une ambiance de vraie concertation, 60 000 francs, ce n'est pas rien...

Non, je ne crie pas misère, je n'exige pas d'enveloppes. Ce sont des moyens d'assouplissement dont je rêve : des lieux où les structures pourraient être temporairement ébranlées par une invention raisonnable, contrôlée, régulée. Je pense, par exemple, à des mesures de cessation progressive d'activité, à des temps partiels. Il y a des enseignants que cela transforme totalement, dont l'absentéisme, les difficultés pour boucler le programme, l'exaspération nerveuse, bref les « pannes » disparaissent lorsque la contrainte de service se desserre. Ne pourrait-on pas, dans le même ordre d'idées — l'action ponctuelle —, organiser pour les sections de seconde des études surveillées, par 8 ou par 10, des petits ateliers animés par des « répétiteurs » ? J'ai rencontré des éducateurs qui sont nos voisins, rue Saint-Sulpice : nombre d'entre eux, anciens instituteurs, seraient tout prêts à s'intéresser aux jeunes, à mieux les connaître. Je ne prétends pas que ces gens fourniraient, au pied levé, des enseignants de substitution. Mais, en collaboration avec deux professeurs de la classe, ils ne demanderaient pas mieux que d'apporter une aide psychologique, un suivi de l'organisation du travail. Ce n'est même pas une question de méthode intellectuelle, il s'agit d'offrir à l'élève, après la classe, une table, du silence, des dictionnaires et quelques conseils.

Des collègues, des pédagogues, souhaiteraient qu'au lieu d'un bricolage de ce type, on envisage d'écourter le service magistral des professeurs et de leur confier, après la classe proprement dite, des heures de travail dirigé. Je suis assez favorable à cette option, mais je ne la crois pas applicable à Fénelon. Beaucoup de maîtres n'ont guère envie de s'approcher plus près des élèves, sont enchantés de dispenser leur cours magistral puis de planter là les potaches qui les intéressent modérément. Tout ce qui les intéresse, c'est leur enseignement, leur discipline. Dans un lycée tel que Fénelon, cette attitude est amplement majoritaire. Il règne, face aux gosses, une espèce d'impatience : « On ne va pas, en plus, les soigner, les dorloter, les écouter ! » Je suis persuadée que ce langage ne changera que si l'on parvient à rassurer les professeurs, sinon par une formation continue satisfaisante (nous en sommes loin), du moins par mille micro-mesures qui facilitent leur propre existence, leur garantissent main-forte lorsqu'ils se voient en difficulté dans leur classe. Le langage du rejet est un langage défensif. Il faut supprimer le sentiment d'agression pour qu'il s'altère.

Deux choses rassurent les enseignants : d'abord, la certitude que le proviseur ne va pas tirer sur la ficelle, ne va pas ériger la moindre innovation en « expérimentation pédagogique » dûment estampillée, avec arsenal d'évaluations, papiers à remplir et descentes d'inspecteurs à la clé ; ensuite, la non-surenchère si une bonne volonté se présente. Ne pas se jeter sur l'enseignant en le saisissant à la gorge : « Vous qui êtes si dévoué, vous avez si bien réussi avec les secondes, je vous confie maintenant les premières... » J'essaie, au contraire, de leur montrer qu'ils ne seront pas dévorés s'ils s'approchent un peu plus des élèves mais que, probablement, ils y trouveront eux-mêmes un plaisir nouveau et pas fatalement une source d'hostilité parentale. Je leur dis : « Vous essayez, on mène l'opération ensemble ; de toute façon, je serai là si des critiques s'élèvent. » Les professeurs sont des êtres qui doutent terriblement d'eux-mêmes, qui sont très frileux et qui viennent le matin se plaindre du moindre qualificatif concernant la corporation qu'ils ont lu dans le journal de la veille.

Pourquoi les enseignants semblent-ils si souvent en proie à l'insécurité alors que moi, chef d'établissement, je n'éprouve guère ce sentiment ? D'abord, parce que j'ai choisi la charge que j'assume. Ensuite, parce que, au fond, je ne suis pas une intellectuelle : je ne suis pas menacée de voir disparaître mon savoir, ma qualification, ma discipline. Lorsque j'étais professeur, je crois avoir transmis aux élèves mon amour de l'anglais mais je n'ai pas enseigné l'anglais. Je n'ai pas transmis mon savoir. D'ailleurs, je ne savais pas grand-chose, mais j'aimais l'anglais et j'étais capable d'amuser les élèves, de leur fournir des « trucs » pour rendre leur travail plus rentable. Je demeure nourrie de tout un folklore britannique que j'ai rencontré dans les livres et avec lequel je vis. Sterne, c'est un copain ; le « poor Yorick », c'est vraiment un proche — ce n'est pas du tout d'ordre intellectuel, c'est plus d'ordre affectif, affaire de commerce humain. Enseignante, je n'avais pas beaucoup à perdre, donc j'étais un petit peu moins angoissée par la transmission du savoir que mes collègues.

Et puis, mon métier est infiniment plus protégé que celui de professeur, parce que la fonction que j'exerce est encore un bouclier passablement efficace. « Madame le proviseur », cela impressionne les parents, les élèves. Ces derniers ne sont guère agressifs à mon encontre, et je ne me débats pas au milieu d'une classe de 40, avec des objectifs fort contradictoires. Les professeurs sont actuellement tenus de contraindre leurs ouailles à l'immobilité, ce qui est devenu quasiment impossible et, en même temps, de les préparer aux examens, sous la pression de la famille et du monde environnant. Finalement, on parle beaucoup moins des proviseurs que des professeurs ; on ne se plaint pas tellement des mauvais proviseurs, lesquels n'alimentent point la chronique dans la presse, et pourtant les chefs d'établissement médiocres sont nombreux. Mais les parents se fixent sur l'enseignant, sur le programme, sur le baccalauréat, et ajoutent parfois, incidemment, que dans ce lycée le proviseur crie tout le temps ou n'est pas ouvert au dialogue. Ce qui remue beaucoup moins l'opinion que la condition enseignante.

Les chefs d'établissement sont relativement à l'abri, ne serait-ce que par la méconnaissance générale de leur métier. Tout le monde semble connaître le métier d'enseignant. Nous, personne ne s'avise de nous rappeler que nous pourrions signer nos bordereaux de mandat un peu plus souvent ou que notre compte financier n'est pas à jour. Notre spécialité est protégée par son mystère et par la profusion des tâches qu'elle exige.

La contrepartie de cette zone de mystère protectrice, c'est que j'ai appris à m'accommoder d'une espèce d'hypocrisie générale, ne racontant pas à mes collègues comment je procède et admettant en retour qu'ils ne m'avouent jamais la vérité sur leurs pratiques professionnelles. J'en ai déjà parlé, mais j'y insiste, tant cela pèse : c'est chacun pour soi et Dieu pour tous. Concernant la solitude du métier, les lycées du quartier Latin me paraissent détenir la palme de la non-transparence — moi qui voudrais que tout soit lieu de parole. Les rencontres avec mes collègues chefs d'établissement sont l'inverse d'une confrontation loyale. Je m'exprime, comme les autres, par des paradoxes prudents, par des boutades, plutôt que de déballer les difficultés auxquelles je suis confrontée et auxquelles se heurtent certainement nombre de mes interlocuteurs. Tel est sans doute le compromis qui me coûte le plus, qui me satisfait le moins.

Un autre compromis permanent me pèse : il s'agit, cette fois, de la gestion des agents. Je me contente de ce qu'ils veulent bien donner : le rapport de force est tout à leur avantage et, pour avoir la paix, pour n'avoir pas trop de bâtons dans les roues, il se trouve quantité de choses sur lesquelles je ferme les yeux, que je tolère. Les gens arrivent à 7 h 15 au lieu de 6 h 30, c'est assez évident. Les tableaux de vacances des personnels figurent sur un très beau papier qui m'est solennellement remis. Mais, le jour où ils sont tous portés présents sur le papier, j'aurai de la chance si j'en croise deux dans la maison. Je ne me bats plus contre ces résistances-là, songeant qu'il vaut mieux que les agents travaillent effectivement les jours où ils assurent leur service plutôt que d'adopter le système de la présence passive. Je ferme donc les yeux, mais ne vais pas jusqu'au compromis silencieux : je précise que je suis au courant, que j'attends sagement mon heure, mon jour. Et d'ici là, j'encaisse.

Au-dessus : silence analogue. S'agissant du ministère, je crois que j'ai complètement perdu de vue son existence. En période électorale, la qualité du silence ambiant devient même assourdissante. Du côté des services académiques, un compromis tacite s'est également noué : je ne vais plus demander d'aide, je ne m'exprime plus, je n'établis plus de bilans de vie de l'établissement, m'efforçant d'informer mes supérieurs hiérarchiques des dysfonctionnements locaux. En matière de pédagogie, je ne compte pas plus sur l'inspection générale : je me contente de quelques tests pour vérifier que les réponses fournies ne constituent en rien une aide véritable. C'est un recul considérable par rapport à ce que j'avais vécu en province, à Nevers, où j'étais accompagnée, dotée d'interlocuteurs attentifs et souvent compétents.

Mon dernier contact marquant avec le ministère date de l'installation, rue de Grenelle, de M. Chevènement. Un conseiller m'a appelée, en plein mois d'août, pour me dire que le ministre souhaitait me rencontrer. J'ai d'abord cru qu'il s'agissait d'un canular et ai lancé à la concierge : « Si le ministre est au téléphone, alors moi, je suis Napoléon », en plagiant un concierge de l'académie de Besançon qui avait ainsi répondu à son recteur parce que celui-ci arrivait à moto. Mais la concierge insistait : « Je vous assure, c'est un monsieur qui dit que c'est vraiment de la part du ministre. » Un monsieur qui n'est guère porté sur le canular. *Exit* Napoléon. Et me voici tout ouïe au téléphone. On me prie de me rendre le 7 août à une audience auprès du ministre.

« Nous sommes à la recherche de quelqu'un qui pourrait

assumer la difficile tâche de directeur des collèges. » Sous-entendu, mais ce n'était pas expressément formulé : vous êtes pressentie. Passé le moment de surprise, je me suis dit que, au fond, cela faisait sept ans que j'étais à Fénelon, que la « centrale » devait être une expérience intéressante, que c'était probablement la seule chance de ma vie, enfin que, d'alternance en alternance, le plat ne repasserait pas. Et puis, c'était très flatteur.

Le week-end précédant l'entrevue, à Belfort, ma mère ne s'était pas exclamée : « Comme c'est bien, mon Dieu, on te distingue, je suis fière ! » Son commentaire avait été : « Tu as déjà beaucoup de travail... » Et encore : « Puisqu'ils te convoquent à Paris, j'espère qu'ils vont au moins te rembourser le voyage. »

Ce que je n'aurais pas dû faire, c'est revenir la veille du jour où je devais rencontrer mon ministre et passer la nuit à Fénelon, parce que les racines, alors, deviennent douloureuses. Ce n'est pas *the call of the wild,* c'est juste le contraire : l'appel de la familiarité. Et je ruminais, dans la nuit : « Je suis si bien ici, c'est vraiment ma boutique, qu'est-ce que je vais chercher rue de Grenelle ? » Pour comble, j'ai rencontré un élève dans la rue, en allant chez Chevènement. C'était vraiment un signe — un élève qui, en plus, devait redoubler, que je ne pouvais abandonner à la rentrée ! Je commençais déjà à reculer. L'attente dans l'antichambre m'a complètement achevée. Les huissiers distribuaient des chiffons et râlaient : « On devait être tranquilles ce mois d'août, et il faut qu'il en arrive un nouveau, et qu'on remue tout, et qu'on enlève la poussière, et qu'on re-range le bureau... » Ces coulisses-là ne me disaient rien qui vaille, pas plus que les portes rembourrées du bureau ministériel. Les gens qui passaient dans l'antichambre me considéraient subitement comme si j'avais grandi de quinze centimètres dans la nuit. Je pensais à mon collègue, naguère directeur des collèges, qui plaisantait : « Il y a deux avantages extraordinaires dans la fonction, dont le principal est la jouissance d'un bar avec du whisky. Venez donc prendre le whisky chez moi. » J'ai déchanté, lui rendant visite, quand j'ai constaté que c'était du Johnny Walker Red Label. L'autre avantage était la considération dont vous entouraient les personnels du ministère. J'ai pris peur.

Avouons-le : l'entretien avec M. Chevènement fut un désastre. D'emblée, je lui ai annoncé que je n'avais pas de théorie, pas d'idée générale, pas de conception d'ensemble du système éducatif. Mon vis-à-vis a aussitôt paru convaincu qu'il y avait erreur sur la personne. Le ton s'est durci. Nous nous sommes gravement heurtés sur plusieurs points. J'ai fait état d'un réel manque de moyens en horaires, en personnel, déclarant que les collègues étaient découragés et que la rénovation des collèges, si elle se poursuivait ainsi à l'économie, très peu pour moi ; que, pendant longtemps, j'avais considéré les revendications matérielles comme des alibis, mais que ce n'était plus du tout le cas maintenant. Cela l'a énervé. Je l'ai énervé une ou deux autres fois, en particulier quand je lui ai lancé :

— Un administrateur, ça pense en termes de durée, et vous avez peu de temps devant vous.

Il s'est cabré :

— Je durerai plus que les autres ministres francs-comtois.

La réponse m'a semblé faible, d'autant que, exaspéré, il a aggravé son cas :

— J'ai l'éternité devant moi !

Je lui ai répondu :

— Je sais par expérience, monsieur le ministre, qu'on emploie cet argument lorsqu'on ne nourrit plus guère d'illusions sur ses pouvoirs effectifs.

Il n'a pas du tout aimé cette réplique et m'a taxée de scepticisme. Là, je l'ai franchement déconcerté :

— Oui, je suis un peu sceptique. Je suis très obsédée par une image que j'ai devant les yeux, qui me rappelle une rencontre avec vous, un soir, dans le bus 63. Vous ne m'avez pas vue. Il n'y avait pratiquement que vous, moi et des Sénégalais. Nous roulions de Solférino vers le quartier Latin, aux environs de minuit. Savez-vous quelle est l'activité de ces Noirs qui étaient avec nous dans l'autobus ? Ils vendent des oiseaux mécaniques au Trocadéro. Ces oiseaux mécaniques, quand on les remonte, leur ascension est fulgurante, mais dès que leur moteur s'arrête, ils s'écrasent au sol comme des martinets et sont parfaitement lamentables. Je crains beaucoup, depuis que vous m'avez convoquée, d'être un peu ce martinet mécanique qu'on pourrait remonter à la centrale et qui s'écraserait ensuite.

Ce style de métaphore l'a visiblement agacé et, à la fin de l'entrevue, j'ai senti que c'était cuit. Il m'a expédiée chez ses collaborateurs, manifestement préoccupé de m'offrir quelque lot de consolation pour le dérangement. Brusquement illuminé, il s'est jeté sur une idée :

— Voulez-vous devenir inspecteur d'académie ? Je pourrais vous obtenir ça.

J'ai dû lui expliquer qu'il se trompait de sucrerie :

— Mais non, monsieur le ministre. D'abord, si je voulais l'être, je le serais. Ensuite, si vous vouliez me l'obtenir, vous ne pourriez pas le faire immédiatement, car il faut respecter une procédure qui suppose l'inscription sur des listes d'aptitude.

En sortant, je suis allée déjeuner avec une amie chez Bofinger et me suis acheté la télévision en couleurs. Je me suis dit : « Il faut que je contemple mon ministre en technicolor puisque, probablement, je ne le reverrai plus en chair et en os. » J'étais heureuse de m'être sabordée, d'avoir joué l'éléphant dans un magasin de porcelaine pour finalement conserver mon territoire, mon fief, où les élèves sont si gentils et enfilent leur plus bel habit pour paraître au conseil de classe. J'aurais « régné » quelques mois et, Chevènement parti, me serais retrouvée dans un placard à l'inspection générale de la vie scolaire.

Il est très gentil, M. Chevènement. Ce n'est plus mon ministre, mais c'est encore mon maire. Quand on se croise sur le quai de la gare de Belfort ou devant la mairie, il est très courtois, attentionné, mais comme on l'est avec un débile léger susceptible de déraper un peu et qu'il ne faut pas contrarier... Je me demande si, dès que se présente une possibilité de quitter Fénelon, je n'ai pas aussitôt recours à un parfait dispositif de sabordage. J'ai renouvelé l'opération auprès de Marie-France Garaud à l'époque où elle « cherchait des femmes » pour étoffer sa liste de candidats aux élections législatives : au cours d'un déjeuner en tête à tête, après lui avoir bien décrit la vie et le métier de chef d'établissement, je lui ai refait le coup d'absence d'idées générales et de projets, de vie au ras des pâquerettes, d'empirisme myope. Juste l'inverse de son fonctionnement intellectuel ; je l'ai quittée certaine de l'avoir épouvantée.

L'épisode le plus récent de ma tumultueuse carrière est

lorsque l'on m'a suggéré de demander ma mutation pour Henri-IV. J'ai refusé tout net. D'abord, j'étais sûre que les deux collaborateurs les plus proches du proviseur m'auraient vue venir et m'auraient « fait la peau », puisque je critique fréquemment Henri-IV. Le proviseur adjoint côté lycée et son homologue côté collège m'auraient infligé un bizutage en règle. J'aurais, de plus, été la première femme dirigeant Henri-IV et ces deux messieurs se seraient trouvé maints alliés chez les professeurs que pareille perspective n'aurait pas manqué de révolter.

Ensuite, l'établissement comporte un collège. Je ne sais pas m'occcuper d'enfants jeunes. Je sais susciter des relations d'humour, de complicité, de contrat, de confiance avec les plus grands, mais les enfants me déconcertent — enseignante, ce que je pratiquais en cinquième ne valait guère ce à quoi je parvenais en terminale. Je ne suis pas à l'aise quand mes interlocuteurs sont trop jeunes : je ne sens pas exactement sur quel ton il convient de leur parler, je ne serais pas populaire, or j'ai besoin d'être populaire.

Enfin, l'idée de changer pour m'installer à la fois si près (géographiquement) et si loin (pédagogiquement) ressemblait à un coup d'épée dans l'eau. Pourquoi quitter un lycée pour un autre dans le même quartier, avec les mêmes parents dont j'étais sûre que, continuellement, ils allaient me rebattre les oreilles de comparaisons infinies entre mon successeur et moi à Fénelon, mon prédécesseur et moi à Henri-IV, le tout épicé de potins innombrables ! J'allais retrouver tous les élèves que le lycée Henri-IV m'avait « volés » au fil des années et qui continuaient là leur scolarité, en khâgne, en hypokhâgne, en hypotaupe, en HEC, etc. Après avoir tonné que le lycée Henri-IV agissait souvent en concurrent déloyal, j'allais entrer dans le jeu de cette concurrence déloyale et j'allais scandaleusement lâcher Fénelon. Bref, je monterais sur la montagne Sainte-Geneviève par lâcheté, quitterais une maison où la partie est difficile pour un refuge où elle est gagnée d'avance. Le service public n'aurait pu qu'en sortir écorné, puisque les élèves, les parents, les professeurs auraient jugé à bon droit que je me plaçais en complète contradiction avec moi-même. Je ne pouvais pas perpétuer ma pratique professionnelle de manière crédible en étant ainsi prise en flagrant délit de mensonge, de reniement.

Il me reste sept années avant la retraite. Finalement, l'hypothèse qui me titillerait éventuellement, c'est Louis-le-Grand. Il faudrait que j'aille examiner sur place cette excellence arrogante. Je ne détesterais point, moi qui suis catholique, de remplacer le parpaillot d'en face, d'introduire des conseils de classe à ma manière dans ce lycée qui, en une demi-heure par an, règle le sort de ses élèves de math sup. Cela me démange un petit peu, mais je ne suis pas sûre que ce soit sérieux. Peut-être que si l'on m'offrait le voyage jusqu'à la rue Saint-Jacques, j'adopterais la même attitude que face à M. Chevènement, rue de Grenelle.

Sans doute commettrai-je des erreurs. Mais pas celle de me transformer en martinet mécanique. Tous les ans, j'ai de bonnes raisons de rester à Fénelon : il reste tant à faire. Et puis les élèves annoncent l'arrivée de leurs frères et sœurs, les professeurs de leurs enfants : on en reprend pour trois ans de vie commune. Il me semble que je reste aussi parce que les professeurs m'ont éduquée : ils m'ont façonnée et adaptée à cette maison si particulière. Je commence à faire l'affaire. Présomption ?

DEUXIÈME PARTIE

Ping-pong

Où madame le proviseur
rassemble ses idées

Vous avez insisté sur la « modestie » de votre origine sociale. En quoi cette dernière intervient-elle dans votre vocation et dans la manière dont vous exercez le métier que vous avez choisi ?

Il y a certainement ceci : l'école m'a fourni un lieu de réussite, un lieu d'épanouissement, un lieu d'égalité. Je me rappelle avoir traité ce sujet en rédaction, alors que j'étais élève de quatrième dans mon collège de province. Le professeur de français avait ainsi commenté mon devoir : « Votre confiance nous honore, j'espère que vous n'irez pas au-devant de déceptions. » Je n'ai pas été déçue. Il y a aussi l'aspiration de mon père à servir l'État : il était fonctionnaire et fier de l'être.

Ce n'était donc nullement, chez vous, un désir de « revanche », mais plutôt un enracinement, un prolongement ?

Nul désir de revanche, en effet, sauf une fois ou deux. Par exemple, quand une collègue de Mulhouse m'a dit : « Mais vous étiez bien dans cet établissement de Belfort qui s'appelait l'EPS, un collège moderne, dirigé par de vieilles institutrices ? Et vous avez réussi à passer le CAPES ! » Et, la sachant certifiée, j'ai répondu avec une jubilation à peine contenue : « Oui, j'ai même l'agreg. » Quelquefois, très épisodiquement, je me suis offert ce type de petit plaisir. Mais c'était fort bref, fugitif.

Vous ne faites guère mystère de vos convictions religieuses. Est-ce une autre clé de votre détermination à vous investir dans une activité de formation et à y conquérir du pouvoir ?

Je n'en fais pas mystère mais j'observe une certaine discrétion. C'est-à-dire que je ne milite pas. Depuis que je détiens des responsabilités administratives, j'agis en pur élément de base dans les sphères confessionnelles. Je ne paie pas de cotisation à la Paroisse universitaire et je ne lis ses *Cahiers* que lorsque j'y ai écrit un article. Cela pour prévenir toute confusion des genres. Reste que j'ai, c'est vrai, en moi, la respiration du folklore très humble de la France catholique, profonde, de ma province, où les gens connaissaient la Bible par sa petite histoire, écoutaient des prédications, lisaient les vitraux, sans autre accès, sans autre initiation à la culture théologique. Je suis nourrie de piété populaire et je me reconnais dans les figures de cette tradition ; la fréquentation des saints ne m'est pas étrangère, ni les paraboles dont le catéchisme de mon époque nous abreuvait. J'en vis, j'en suis faite, et cela influe certainement sur la manière dont j'accomplis ma tâche. J'éprouve une inextinguible curiosité pour les êtres humains, dont je ne saurais me guérir, dont je ne me départis pas, et qui est intacte chaque matin. Outre cette curiosité, il est évident que la foi me conduit à vivre l'aventure de mon métier comme une relation humaine qui est une relation de salut, et d'amour, et de don, et de joie. Je n'ai aucun sens moral lié à ma foi : je ne peux ni ne veux, à partir de là, établir un ordre moral ni même un système de valeurs ; en revanche, j'avouerai bêtement, j'allais dire de manière très élémentaire, très concrète, vraiment presque primitive, que tout visage d'élève est un visage du Christ. Je le vis profondément, je porte sur les élèves le regard de Véronique, dont Robert Morel disait qu'elle avait la passion des visages humains. Il arrive qu'un de ces visages me paraisse très, très rarement — c'est l'expérience la plus douloureuse que je traverse — méprisable. Or, à l'instant où l'élève me paraît méprisable, je songe : « Mais c'est une gueule de ressuscité, et il est à aimer comme tel. »

Vous servez dans l'enseignement public, vous êtes au service de l'État. Est-ce que la tradition laïque vous est chère ?

Tout à fait. Je respecte les gens qui préfèrent l'enseignement religieux, ou privé, mais je ne saisis pas ce qui fonde leur option. Pour moi, il n'est pas d'isolement possible du chrétien : aucune supériorité ne justifie qu'il se regroupe avec ceux qui lui ressemblent de manière à éviter les « pollutions », les mélanges. Pourquoi serait-il gêné par la fréquentation d'autres convictions ? Il me semble que l'aventure chrétienne n'a de sens que dans la pluralité. L'enseignement laïque est le seul qui offre un éventail suffisamment vaste de choix auxquels on se frotte, on se confronte. L'existence d'un enseignement privé, d'un enseignement confessionnel, à côté de celui dans lequel je travaille, ne me gêne absolument pas. J'y ferai appel sans aucun état d'âme si, à l'occasion, le bien d'un gosse réclame l'usage de cette alternative. Mais j'obéirai alors à des motivations pratiques, non point philosophiques ou religieuses.

Le syndicalisme enseignant, aujourd'hui, ne se porte pas si bien que le pense l'opinion. Le courant de désyndicalisation est fort. Pourtant, vous vous déclarez fidèle à vos attaches, à la Fédération de l'Éducation nationale. Est-ce le produit de l'habitude ou, en ce domaine du moins, la préservation d'une fibre militante ?

A vrai dire, la fibre militante n'est plus très vibrante. D'abord, parce que je me considère comme le représentant de l'État dans mon établissement : certains discours syndicaux ne sont pas compatibles avec mon rôle présent, alors qu'ils étaient compatibles avec la fonction enseignante. Ensuite, l'usure générale des syndicats engendre des paradoxes difficilement admissibles. Il m'est arrivé, à Mulhouse, de faire une grève contre la suppression de postes de maîtres auxiliaires et de constater que les maîtres auxiliaires eux-mêmes n'avaient pas participé à cette grève... Je me rappelle aussi tel collègue qui s'alarmait au printemps de 1968 devant l'ampleur du mouvement : « Mon budget prévisionnel de grandes vacances, pleurait-il, ne me permet pas d'envisager la poursuite de la grève. » Eh oui, les mensualités de la CAMIF [1] allaient tomber ! Quant à mes collègues

1. Coopérative d'achats réservée au enseignants.

chefs d'établissement et moi-même, nous avons un jour lancé une superbe grève administrative. Et nous avons cessé comme des gamins le jour où les secrétaires généraux des rectorats ont élevé la voix : « Tous vos camarades nous ont renvoyé leurs états, il n'y a plus que votre lycée qui soit à la traîne... » Les uns après les autres, dans une débandade absolue, chacun a expédié son dossier pour ne pas se retrouver seul en première ligne. Bref, mon militantisme syndical, après d'aussi riches expériences, a été quelque peu décapé par l'humour.

Mais il y a plus grave, plus sérieux : c'est qu'un certain discours syndical devient si sclérosant qu'il contredit l'intérêt des élèves. L'idée que l'ancienneté soit le critère des critères, que le barème national garantisse la justice des mutations, c'est aujourd'hui inacceptable. Je m'insurge lorsque je vois des syndicalistes refuser éternellement qu'on intègre le qualitatif dans l'évaluation des personnels, clamer qu'on n'a pas le droit de se prononcer sur la rentabilité du fonctionnaire. Zut ! Les élèves, eux, ont des idées sur cette rentabilité, et des choses à dire. L'orthodoxie syndicale n'est plus ma loi et réunira de moins en moins d'adhésions si elle n'est pas opportunément révisée. J'ajoute cependant que mon propre syndicat est très souple : il est membre de la FEN, mais ne s'en souvient que de manière saisonnière. Enfin, je rêve d'une évolution de l'éducation qui échappe aux séismes de gauche comme à ceux de droite.

Vous êtes célibataire ?

Oui.

Serait-ce un handicap que de ne pas l'être quand on s'investit autant que vous ?

Pas du tout. J'en parle beaucoup avec mes collègues qui ont suivi à peu près la même voie mais en ayant une famille relativement nombreuse. Le célibat m'accorde une singulière liberté dans l'utilisation de mon temps. Mais si j'avais une famille, cette famille m'apprendrait maintes choses, me recyclerait comme savent si bien le faire les enfants de proviseur — beaucoup rencontrent des petits problèmes d'orientation pour leur progéniture et, en période de conseil de classe, c'est salutaire. La condition de célibataire, il est bon que les parents le sachent, ne me rend pas plus disponible pour nouer avec les élèves quelque lien de type maternel. Je n'ai nullement besoin de compensations affectives : ce ne sont pas mes enfants. Il faut dire que je suis célibataire aussi endurcie que proviseur endurci. Je ne voulais pas avoir d'enfants. A la limite, je me serais fait une raison, si je n'avais pas trouvé le moyen de gagner ma vie par mes propres moyens, de prendre époux à un certain moment. Mais l'autonomie financière a contribué à faire que les hommes que j'ai eu envie d'épouser n'étaient jamais épousables, et ceux qui étaient épousables, sitôt la chose établie, cessaient complètement de m'intéresser ! Sans doute dois-je d'urgence consulter un psychiatre. Ce qui est sûr, c'est que je ne me suis jamais projetée dans le rôle de mère de famille. D'ailleurs, la traversée eût été pénible : je commence à m'entendre avec les jeunes quand ils ont treize, quatorze ans. A partir de la quatrième, c'est supportable. Les sixièmes et les cinquièmes me bouffent allégrement la laine sur le dos : j'ai beaucoup de mal à exercer sur eux l'autorité requise. Je ne sais pas. Je ne connais pas. Je ne comprends pas. C'est un petit être qui m'échappe, l'enfant. En réalité, je suis à l'aise avec les grands. Or, il est difficile d'avoir de grands enfants sans en avoir de petits...

Il y a cependant chez vous, dans tout votre discours, dans tout votre langage, une passion pour les jeunes, un amour pour les jeunes, que peu d'enseignants manifestent. Comment expliquez-vous cette quasi-anomalie ?

C'est vraiment une colle. Peut-être ma première réponse serait-elle : parce qu'on m'a beaucoup aimée quand j'étais gosse. Les adultes m'ont beaucoup apporté, beaucoup donné et beaucoup laissé faire, laissé être. J'avais des professeurs qui m'admiraient. J'avais un père qui me vouait une confiance illimitée. Il me donnait, en quatrième, un bloc de papier à lettres où toutes les pages étaient signées et me permettait de compléter à ma guise les autorisations que je désirais. Au fond, j'ai aimé être jeune, je me suis payé un bon temps formidable. Et je dis aux professeurs : « Si vous n'aimez pas ça, allez travailler dans un asile de vieillards ! »

Que vous répondent-ils ?

Il ne s'en trouve guère qui osent maintenir que ce serait plus rose. Un moment de tension se crée fatalement entre nous quand je leur lance cela mais, après, le conseil de classe est un peu plus paisible. Cela dit, peut-être les élèves m'auraient-ils fort usée si j'avais continué à être professeur plus longtemps. J'ai bien aimé les élèves pendant dix ans, mais pas follement. Et dans le métier de prof, diverses choses me pesaient — par exemple les corrections de copies que je commençais à juger fastidieuses. Honnêtement, les conditions de vie d'un professeur sont plus rudes que celles d'un chef d'établissement.

N'avez-vous pas tendance à estimer, concernant les conseils de discipline ou l'orientation, que les jeunes ont toujours raison ?

Si, c'est sûr, et cela pourrait facilement devenir excessif. Évidemment, je me cherche des arguments : les élèves disposent d'un espace de liberté très restreint ; il faut donc bien se mettre dans leur camp pour essayer de leur en donner plus. Je trouve des explications, mais il y entre une dose de mauvaise foi, c'est indéniable. Je suis de leur côté, ils le savent bien, et je dois m'astreindre à corriger ma pente spontanée. Plutôt que de leur donner systématiquement raison, je leur accorde toujours le droit d'être comme ils sont, dans leurs revendications, dans leur égoïsme, dans leur ingratitude. Voilà, c'est cela : ils sont en train de se fabriquer des ailes ; ces ailes, ils les essaient et, de temps en temps, nous en prenons plein la figure. Mais c'est normal : nous sommes payés pour cela, c'est ce qui justifie nos traitements si opulents...

Je leur sais gré, aussi, de représenter l'avenir. Nous avons la chance de travailler avec des gens qui vont vivre après nous, qui vont vivre longtemps. Ce banal constat leur procure des droits et nous crée des devoirs. J'ai coutume de dire : « C'est nous qui... C'est nous qui devrions...

C'est nous qui n'avons pas compris... C'est à nous de montrer que... Donc, si ça ne va pas, ça vient de nous... » La tendance est tellement contraire que je n'ai pas peur d'insister trop dans l'autre sens. Car les parents exigent énormément de leurs enfants, leur imposent des contrats redoutables, récusent leur droit à l'ingratitude. Et puis, toute l'institution scolaire est d'un poids terriblement lourd. Les adultes, c'est peut-être un peu moins vrai maintenant, répètent : « Les jeunes ne travaillent pas, ne savent pas, le niveau baisse, etc. » Moi, je prends le parti exactement inverse. Ils ont le droit d'être, et nous, nous n'avons qu'à essayer de faire le mieux possible : c'est de la chair qui pousse, il faut qu'elle puise sa nourriture partout, et elle a même le droit de dévorer des adultes. Telle est la règle du jeu. J'en ai bouffé beaucoup, des adultes !

> *Parmi les droits du citoyen mineur qui vous est confié, voire du citoyen majeur dans les classes préparatoires, il en est deux qui vous sont apparemment chers : le droit à l'ingratitude et le droit à l'expérience.*

J'entends ainsi combattre le désir que je pourrais avoir, que nous pourrions avoir, nous, adultes qui accompagnons le jeune, de le faire semblable à nous. Je réclame le respect d'un mystère total qui est lui, lui qui n'est pas fini, dont le dernier mot n'est pas dit et ne saurait être dit par moi, par nous. Si incompréhensibles que paraissent ses chemins, je n'ai pas le droit de fixer une issue à ses crises ; je n'ai même pas le droit de limiter arbitrairement la casse. Si un enfant a besoin de traverser un temps d'anorexie, je vais respecter profondément la souffrance des parents, le bouleversement des frères et des sœurs, l'horreur du professeur devant cette fille qui pèse vingt-sept ou vingt-huit kilos, mais je vais considérer que c'est un itinéraire possible dont je vais saisir quelques éléments, dont certains éléments vont m'échapper, mais qui relève d'un droit, dont le respect commande, pour l'intéressée, la chance d'en sortir, d'aboutir.

Il s'agit d'une ingratitude absolue : ne ressembler en rien au projet que j'ai sur elle ou sur lui, me jouer des tours imprévisibles, contredire mon pronostic jusqu'à la dérision (quand bien même ce pronostic se fondait sur un examen scrupuleux du dossier scolaire). C'est tout cela, le droit que je lui reconnais et qui est le respect de son mystère.

Et le « droit à l'expérience » ?

C'est le droit de ne pas entendre ce qu'on vous dit, de ne pas vouloir le croire, de demander, après avoir tout écouté, tout bien compris, de tenter quand même autre chose. Par exemple, de passer dans la classe supérieure alors qu'on a toutes les chances d'être emporté par le courant, de se noyer. Il me semble que, dans un monde où le domaine de l'aventure se restreint considérablement, ce droit à l'aventure est légitime. Mais pour nous, c'est très fatigant. Il y a ceux dont l'expérience est à coup sûr vouée à l'échec et qu'il faudrait peut-être avoir le courage d'arrêter, ceux qui font une expérience pour voir et qui s'en sortiront bien, ceux que l'expérience même esquintera... On ne dort pas forcément très bien après avoir signé ce contrat-là. Moi, j'y crois, mais je le vis péniblement. Certaines fois, je ne me sens soulagée que cinq ou six ans après. Comme il faut vivre, et pas dans l'angoisse, je me dis que je ne suis pas Dieu le Père et que je ne saurais tout réguler, que l'économie de cette expérience n'aurait engendré qu'une catastrophe, et puis, ma foi, je dors en attendant. Je continue à faire mon métier en dormant. Et je me raccroche à des espoirs empiriques. On voit des jeunes se rétablir d'une manière tellement formidable, tellement éblouissante, devenir des adultes si réussis après avoir connu des traversées si pénibles, que ça vous recharge vos batteries pour signer des chèques en blanc aux autres. Mais c'est réellement dur.

> *Avez-vous le sentiment que le système scolaire, en tout cas le lycée dans lequel vous êtes actuellement, aide à former des adultes ? Est-ce qu'il tire les gosses vers la vraie vie ? Ou est-ce qu'il les maintient dans un certain état d'immaturité, voire de régression ?*

Beaucoup d'éléments infantilisants me font souffrir quotidiennement. On rumine parfois, la fatigue aidant : ça ne peut plus durer, on ne peut pas continuer à en enfermer 40 avec un prof, pendant une heure, quand on sait que ce prof est à bout, qu'il ne les aime plus, qu'il a perdu le feu sacré. On ne peut pas non plus admettre la triche, les « anti-sèches », la hantise de la moyenne qui incite à esquiver l'interrogation suivante si la précédente a été couronnée d'une note convenable. Tout un aspect du système éducatif m'apparaît infantilisant, castrateur.

Mais le lycée demeure un lieu de brassage de populations, un lieu de rencontres. Il me semble que cette vie avec les autres, cette expérience sociale du groupe qu'est la classe, n'est pas forcément la plus mauvaise, que la pluralité des enseignants est formatrice, plus que ne le permettrait une autre institution. Et je crois enfin qu'à partir d'un certain niveau d'enseignement, quand les élèves optent pour une filière spécifique d'études, le système scolaire est capable de les nourrir utilement. Si ce n'est pas cela, conduire un établissement scolaire, si ce n'est pas créer un esprit tel que les jeunes commencent à s'ouvrir et à prendre leur envol, le reste, les diplômes, est secondaire ; ce n'est d'ailleurs pas forcément le lycée qui assure cela le mieux, peut-être Berlitz serait-il plus performant.

Qu'est-ce qui leur fait peur, aux élèves, et qu'est-ce qui vous fait peur pour eux ? Quel est le hit-parade de leurs inquiétudes, et vos propres inquiétudes, quand vous voyez fonctionner votre établissement, coïncident-elles avec celles des jeunes ?

En ce moment, presque à égalité, sévissent la peur de ne pas trouver de travail, de ne pas accéder à la vie professionnelle et — mais oui — la peur du SIDA. Ce sont deux peurs très présentes dans leur univers. Plus toutes celles qui procèdent de ces sources majeures. La peur du chômage, c'est d'abord la peur d'avoir un dossier insuffisant pour être pris dans telle ou telle classe, la peur de redoubler, la peur de passer et de ne pas être à la hauteur, la peur de ne pas obtenir sa moyenne au contrôle de maths. Et la peur du SIDA, c'est la peur d'un univers adulte qui paraît très menaçant, contaminé par de nouvelles maladies, un monde qui vous empêchera d'exister dans le bonheur, d'inventer votre vie. Autant la libération sexuelle a rendu fous nos élèves dans les années 1960-1970, et les a conduits à considérer que tout était arrivé et le reste avec, autant ceux de maintenant sont timorés, craignent de se lier, d'avoir des enfants. Ces deux peurs-là, je les prends très au sérieux. La seule réponse que je leur donne, à la fois individuellement et collectivement, c'est qu'il n'existe de réponse qu'en chacun d'eux, que plus ils acquièrent de solidité, d'expérience, plus les peurs qui leur viennent de l'extérieur seront négociables, abordables, maîtrisables.

Une chose m'a beaucoup frappé : je ne rencontre presque jamais de jeunes qui veulent devenir profs...

C'est sûr. D'ailleurs, en conseil de classe, on salue les exceptions. Il y a toujours un maître qui dit : « Mais vous vous rendez compte, il veut être prof ! » En khâgne, en particulier, l'argument est payant : « Quand même, Untel, s'il veut être prof, il faut qu'on fasse quelque chose, on va lui redonner une chance. »

Les jeunes actuels sont réalistes : ils savent très bien quelles sont les conditions de travail des professeurs. Ils vérifient que les conditions matérielles sont déplorables. Il faut voir comment ils sont assis, les enseignants, à Fénelon, il faut voir le lieu où ils reçoivent les parents d'élèves. Il faut vraiment que les parents aient envie de leur parler ! Et il faut que le prof ait un sacré « rayonnement » pour que ça passe, pour qu'on s'échappe par l'esprit de cette espèce de trou à rats. La condition du prof ne peut pas être considérée comme enviable. De temps en temps, j'interpelle le corps enseignant : « Cessez de protester que vous touchez des salaires de misère. En fait, vous gagnez honorablement votre vie ! » La riposte est généralement énergique. Même si l'on considère que les maîtres jouissent de la sécurité de l'emploi, que la durée de leurs vacances compense l'absence de treizième mois, les candidats ne se bousculent guère pour goûter semblables félicités. Les élèves sont catégoriques : « Non, madame, c'est trop dur. » Lorsqu'ils inclinent vers certaine discipline, les élèves précisent : « Je voudrais faire de la recherche, moi j'aime la bio. — Vous ne voulez pas l'enseigner ? — Non, je préfère la recherche. » Un travail solitaire, prestigieux aussi, mais enseigner, pas question. Ils ne veulent pas plus devenir proviseur, ce qui me consterne. Je plaide que c'est passionnant. Ils rétorquent qu'ils n'en doutent pas mais que, puisqu'il faut être prof auparavant, franchement non.

Concernant les enseignants, trois mots reviennent dans vos carnets : « aide », « individualisme » et « frileux ». Vous manifestez beaucoup de tendresse pour l'enseignant qui réclame du secours, mais vous avez aussi la dent dure envers vos collègues pris en corps, dont vous critiquez l'individualisme, voire le conservatisme. Comment comprenez-vous cette sorte de réflexe sécuritaire qui incite à se méfier de l'innovation, du travail collectif ?

La relation d'aide me paraît primordiale à deux titres : parce qu'elle bénéficie au professeur qui est aux prises avec un groupe dont il connaît fort peu de choses ; et parce qu'elle constitue le premier secours que je puis apporter aux élèves. Le proviseur, au fond, n'est pas en contact direct avec l'élève. Il rencontre ce dernier pour des problèmes que j'appellerais presque extra-scolaires, des problèmes de discipline, des problèmes de vie. La fonction de proviseur se justifie auprès de l'élève si, en amont, le proviseur agit correctement vis-à-vis du professeur. Un professeur aidé par son proviseur doit, normalement, être plus efficace en classe.

Quant à l'« individualisme », la « frilosité », j'observe d'abord que rien dans l'organisation des études, puis de la vie scolaire, n'a préparé les enseignants à travailler différemment. Les stages qui précèdent l'entrée en fonction sont, de ce point de vue, indigents. Et le découpage du monde enseignant en disciplines étanches, en horaires cloisonnés, la carence de salles de réunion, l'inadaptation de l'architecture scolaire sont autant d'obstacles à l'échange professionnel, au travail collectif.

Mais il est vrai aussi que les profs ne craignent rien tant que le regard de leurs collègues. A la rigueur, les engueulades du proviseur, ils encaissent. Les élèves ? Ils ne sont pas indifférents à leur jugement et sont très désireux de leur plaire. Ils supportent beaucoup plus mal le regard des parents. Si l'opinion de ces derniers s'exprime en présence d'un collègue, ils perdent complètement les pédales. La dernière chose à faire, c'est de dire à un professeur, devant ses pairs, qu'on s'étonne de ceci ou de cela dans son enseignement. Le regard de l'autre, alors, devient absolument intolérable.

Les profs, quand ils étaient élèves, essayaient d'être bons élèves, éventuellement meilleurs que leurs copains. C'est toujours le cas : une émulation sourde, non déclarée, perturbe leurs relations et interdit d'avouer les difficultés rencontrées. Résultat : ils ne trouvent rien à se dire, sauf en cas de véritable malheur collectif, dans les cas extrêmes, et dans ces cas extrêmes seulement. Leur réflexe spontané est de fermer la porte de leur salle, de se claquemurer dans leur cube avec leurs 40 potaches et de proclamer : « Je suis libre de faire ce que je veux dans mon enseignement, et personne n'est en droit de me réclamer des comptes à ce sujet. »

Plus on s'élève dans la hiérarchie des professeurs et plus ce terme d'individualisme est pertinent. Les enseignants de seconde acceptent encore de donner quelques coups de main à leurs collègues. Du reste, il existe un professeur principal, en seconde, qui préserve un lien entre les maîtres d'une même classe. A partir de la première, cela se désagrège. Mais ne parlons pas des titulaires de chaires de mathématiques en terminale C, ni des grands prêtres du temple philosophique dans les sections littéraires. Quand on s'approche, enfin, des classes préparatoires, le maître ne relève plus que de son inspecteur général, qui est d'ailleurs un de ses pairs, qui l'a généralement précédé dans la classe où il exerce : « J'étais titulaire de la chaire de khâgne option histoire au lycée Henri-IV en 1939 ; mon cher collègue, je viens de vous désigner pour accéder à ce même poste ; au demeurant, votre cours était fort beau, c'est-à-dire analogue au mien. » L'individualisme atteint ici l'Anapurna de la pédagogie. Le poste est là tel qu'en lui-même l'éternité le fige, avec son horaire invariable, le même qu'en 1939...

Est-il concevable de rassurer et de déranger à la fois un corps enseignant dont les conditions de travail sont de plus en plus dures ?

Oui, si l'on veille à exécuter les opérations successivement. Rien ne rassure autant les enseignants que la formation. Je suis persuadée que si l'on modifiait leur recrutement, s'ils bénéficiaient d'une formation continue digne de ce nom – pas seulement de petits stages en circuit fermé –, les maîtres se montreraient plus audacieux. Il convient aussi de rémunérer ces efforts – de les payer un peu mieux sans doute, mais surtout de financer réellement l'expérimentation. A travail accru, salaire accru. Beaucoup de bonnes volontés se dévoilent dès lors que les profs n'ont plus le sentiment d'être des moutons à tondre ou des citrons à presser. En particulier, il doit être explicité qu'une expérimentation n'implique pas forcément tout le monde tout le temps. Ils craignent beaucoup que l'innovation ne soit récupérée, détournée, ne serve de cheval de Troie pour introduire une obligation supplémentaire dans l'enseignement. Avec des structures plus souples, innover et rassurer ne seraient nullement contradictoires. Le prix à payer, c'est qu'il faut changer l'inspection générale et changer la formation.

Pourquoi l'inspection générale ?

Au colloque des administrateurs d'éducation, nous avons entendu un très bon topo du directeur de l'information et de la communication au ministère qui nous a montré que les situations évoluaient, ce dont je suis persuadée. Il disait : « Il se fait beaucoup de choses dans beaucoup de lieux, mais on ne le sait pas assez, on ne donne pas une diffusion assez large aux innovations, on n'essaie pas de les rapprocher les unes des autres, afin de tirer profit des expériences comparées : les inspecteurs généraux ne sont pas toujours à même d'assurer cette coordination. » J'ai pris la parole : « Monsieur le directeur, ces inspecteurs généraux que vous recrutez dans les classes de khâgne et de taupe, vous n'en ferez jamais des cueilleurs d'innovation. Ils sont par définition conservateurs. Ce sont des enseignants qui ont poussé le système jusqu'à son point de rentabilité le plus élevé, leur souci principal est la conservation des concours et du système, et ils sont à la recherche de qui reproduit le mieux le modèle qu'ils ont imposé. Les inspecteurs généraux cherchent ce qu'ils connaissent déjà. Ils demandent, quand ils débarquent dans une classe, quel est le manuel utilisé. Ils veulent des points de repère. Certes, on a aussi besoin de moines dans le système éducatif, mais il faudrait, à côté des éveilleurs de talent, des gens qui repèrent l'innovation, qui l'encouragent et qui la fassent connaître. Peut-être des journalistes ou d'autres profs, des profs qui ont envie de voir du décloisonné. L'INRP [2] assurait cette fonction mais on lui a coupé les ailes. »

Supposons qu'un prof soit ponctuel, irréprochable du point de vue administratif, mais incapable d'assurer un cours convenable, de remplir le contrat qui le lie aux élèves. Que pouvez-vous faire ?

Oui, cela se produit parfois. Un enseignant qui n'est plus écouté, qui raconte sa vie ou répète le cours de la dernière

2. Institut national de la recherche pédagogique.

fois. Là, le chef d'établissement n'a pas compétence. Je n'appelle pas l'inspecteur, parce que l'inspecteur ne vient jamais tout de suite — il y en a même qui mettent leur point d'honneur à ne pas se déranger si on les appelle. Ils considèrent qu'ils ne sont pas aux ordres des proviseurs. D'abord, j'ai un entretien avec le professeur. Je lui dis : « Il y a des plaintes de parents et d'élèves, elles sont très convergentes. Est-ce que vous pensez, vous, que tout va bien ? Ne pourrions-nous rencontrer ensemble les deux délégués de la classe ? » Je joue la concertation, je tente une conciliation. Aux élèves je tiens un langage parallèle : « Essayez d'être plus calmes. Le professeur a compris vos difficultés, il va être beaucoup plus scolaire : à partir de lundi, il va clairement annoncer le sujet qu'il va traiter, etc. » On redémarre. Il est certains équilibres qu'on préserve ainsi jusqu'à la fin de l'année scolaire.

Mais, à l'occasion, la situation se dégrade encore. Les élèves en ont marre, les parents téléphonent. Alors, je mets l'inspecteur au courant. Exceptionnellement, il se déplace et rituellement compatit : « Mon Dieu, comme c'est triste, je vous comprends, mais il s'agit d'un professeur titulaire, faites un rapport, si vous le voulez. » Me voici renvoyée à moi-même, contrainte de reconvoquer autoritairement l'enseignant défaillant : « Je vais essayer de vous aider, je vous ai loyalement expliqué quels griefs étaient prononcés contre vous ; mais rien n'a changé, j'ai maintenant un descriptif très précis de vos carences, de vos retards sur le programme. Êtes-vous en mesure de redresser la situation ? Vous m'avez démontré que non, donc laissez-moi faire mon métier et restez chez vous. Voyez un médecin, reposez-vous et, pendant ce temps-là, j'espère que vous pourrez être remplacé par quelqu'un d'efficace. »

Vous avez toujours été lâchée par les inspecteurs généraux ?

Lâchée, c'est beaucoup dire. Ils ne me tenaient pas, donc ils ne m'ont pas lâchée. Parfois, il y a une admirable exception !

N'est-ce pas finalement insécurisant, pour les enseignants, d'être dans un système sans sanctions ni récompenses ?

Ils ne le disent pas et surtout pas à leur proviseur. Moi, je le pense. Mais beaucoup y sont attachés, à la fois individuellement et syndicalement — et c'est là que je les juge « frileux ». Ils sont vraiment très jaloux de cette espèce d'impunité perverse.

Vous soutenez que l'on devrait, dans certaines circonstances extrêmes, licencier un prof ?

Oui. Absolument. Pas sans se préoccuper de lui, pas sans lui offrir un moyen de gagner sa vie. Mais le retirer de l'enseignement, certainement. Cela ne concerne pas des milliers de gens — peut-être un ou deux par établissement. Dans ma carrière de proviseur, j'ai connu quatre cas vraiment graves, insolubles, à ne pas confondre avec les collègues qui traversent une mauvaise passe, un coup de fatigue. Ceux-là, il faut les accompagner, rester à côté d'eux. Après, quand ils vont mieux, ils retrouvent leur efficacité. Il y a aussi des acteurs qui, pendant un moment, ne donnent pas grand-chose. Mais ceux qui, réellement, sont incapables de remplir leur contrat, il est nécessaire de les écarter. Parce qu'on ne peut pas justifier leur présence aux yeux des élèves.

Vous n'êtes pas toujours diplomate vis-à-vis des enseignants. Mais, à l'égard des parents d'élèves, le ton est plus critique encore. Êtes-vous à ce point préoccupée par la montée du consumérisme scolaire ?

Le consumérisme, cela signifie : je me renseigne, je magouille, je me débrouille, je me fais appuyer, je passe entre les gouttes, je réclame le meilleur lycée. Quand j'ai obtenu le meilleur lycée, puisque c'est le meilleur, il faut qu'il soit à la hauteur de mes demandes et donc que mon chérubin soit bon élève, que tout se déroule selon l'idée que je me suis formée du succès scolaire. Pas de ratés, pas d'absence des profs, pas de copies en souffrance. Il faut qu'à telle date on ait la liste des textes à réviser pour le bac de français, que les petits reçoivent une ration de préparations qui les mobilise trois heures chaque soir, que les corrigés soient interprétables par le cercle de famille assemblé à grands cris. Il faut que le barème des professeurs soit incontestable, que les bacs blancs n'aient rien à envier au lycée voisin, que pleuvent les exercices supplémentaires, etc. Voilà ce que je nomme le consumérisme. On contrôle tout : heures de présence, nombre de devoirs, avancement dans le programme, manuels utilisés. Et l'on a des idées sur tout : valait-il mieux commencer par Platon ou par Descartes, remplacer Kant par Kierkegaard ? Le parcours est prédéterminé, étalonné, balisé. A l'élève et au professeur de s'y soumettre.

Le phénomène, hélas ! va croissant. Il induit que les établissements fonctionnent à la cote, à la réputation, aux statistiques. Je pratique, pour ma part, la politique inverse, quitte à m'aliéner la rumeur et à écorner les chiffres. Il est grand temps de sortir de l'élitisme, de la sélection à tout prix, pour mêler un peu plus les enfants et leur offrir des itinéraires plus variés.

Est-ce un luxe que vous pouvez vous offrir ?

Oui, jusqu'à un certain point et dans certaines limites. Le nom de Fénelon ne s'accommode pas de n'importe quoi. C'est une toute petite maison, dont on ne saurait casser l'allure sans se retrouver comme un général sans armée. On ne peut pas brouiller toutes les pistes. On peut, dans une structure assez sélective, assez élitiste, très traditionnelle, introduire des éléments de nouveauté, d'assouplissement, des correctifs, et susciter un brassage plus ample de la population scolaire, de manière à ce que se rencontrent les bons élèves qui s'inscrivent ordinairement à Fénelon et des petits camarades moins brillants, moins scolaires, mais qui apportent un autre air, une diversité. Point trop n'en faut, cependant.

Les parents auront le sentiment qu'à Henri-IV, par exemple, on travaille à dégager une élite, alors que vous tolérez un relatif « laxisme ». Acceptez-vous ce mode de classement ?

A Henri-IV, savent-ils vraiment ce qu'ils font ? Je suis persuadée du contraire. Moi, je choisis. Je dirais que je fais de nécessité vertu, parce que nous sommes un établissement plus petit que les autres, plus bas en altitude, et ancien lycée de filles. Plutôt que d'afficher des prétentions exorbitantes, j'affiche ma différence : nous pratiquons l'artisanat de luxe et non la haute couture. Nous sommes capables de fabriquer du prêt-à-porter adapté. Puisque, sur le marché, nous occupons la troisième position après Louis-le-Grand et Henri-IV, réservons-nous, si j'ose dire, le créneau de la deuxième chance, laissant les géants se battre au sommet. Et nous voyons redescendre vers nous des élèves qui ne veulent plus de ce combat suprême, et qui deviennent, à Fénelon, des éléments de qualité et heureux de vivre. Nous leur disons : « Vous avez trouvé la haute couture vraiment trop coûteuse ? Nous, nous allons vous proposer un petit tailleur Chanel très bien ; on va l'ajuster, vous verrez, cela vous ira comme un gant. » Ils marchent, parce qu'ils sont dégoûtés du système antérieur.

Facilité ? Non : pragmatisme. J'utilise les vices du système de sélection pour agrémenter la vitrine du lycée Fénelon. On est moins sélectif que les autres ? On est moins élitiste que ceux de là-haut ? Soit. Justement, on permet aux gens de suivre des cursus plus variés, d'atterrir ailleurs qu'à Polytechnique ou rue d'Ulm, ce qui n'empêche pas — heureusement — certains d'entrer à Ulm !

« L'excellence est à tout le monde », selon le titre d'un ouvrage dû à votre collègue de Louis-le-Grand, vous jugez que c'est un slogan sérieux ?

Non. D'abord, je suis angliciste, alors, l'excellence, ce n'est guère mon rayon. En revanche, la qualité, oui. Moins de défauts, moins de dégâts, moins de mépris. La qualité, au sens où l'on parle de la qualité dans l'entreprise. L'excellence, là-haut, c'est l'avalanche des prix d'excellence. A Fénelon, ce ne serait pas un langage sérieux.

Pensez-vous qu'il serait possible de doter les établissements scolaires de grilles d'évaluation convenables ? La demande s'en fait sentir chez les parents et aussi chez un certain nombre d'enseignants qui aimeraient savoir mieux se situer à l'intérieur d'une profession qui a perdu ses repères.

A mesure qu'on chemine sur la voie de la décentralisation et qu'on commence à se doter d'une gestion plus proche du terrain, analysant les caractéristiques précises d'un établissement et de son environnement, il me semble qu'on progresse en ce sens. Je ne pense pas qu'on puisse évaluer un lycée comme on évalue une entreprise. Mais il faudrait également avoir le courage de recourir à des observateurs extérieurs, à des chercheurs en éducation, pour porter un regard critique sur notre fonctionnement, nos choix, nos résultats.

Vous souhaiteriez que des gens curieux, attentifs, pratiquent une sorte d'audit dans les établissements scolaires ? A Fénelon, cela ne vous gênerait pas que des « étrangers » se promènent dans vos couloirs ?

Non, à condition que ce ne soit pas le seul mode d'évaluation. Que ce soit l'occasion d'un rapport, d'une analyse, distincts du rapport élaboré par le conseil d'administration et le chef d'établissement. Nous avons à apprendre des inspecteurs de la vie scolaire, des chercheurs en sciences de l'éducation : ils alimenteraient notre réflexion propre. Encore conviendrait-il que leurs observations débouchent sur un dialogue, lancent une dynamique. L'audit d'experts venus de l'extérieur ne saurait se transformer en bible servant à répartir les établissements dans des catégories comme on enfourne des poulets en caisses.

Jusqu'où doit aller le pouvoir du proviseur dans son établissement ? Estimez-vous que ses attributions sont actuellement convenablement délimitées, et notamment que la frontière entre l'administratif et le pédagogique est correctement tracée ? Acceptez-vous de distribuer aux enseignants des notes administratives dont on sait pertinemment qu'elles n'ont ni valeur ni incidence ?

Non. Nos règles sont désuètes et paradoxales. On introduit la participation dans les établissements, et je suis la première à jouer le jeu. Mais je suis fort à mon aise quand il s'agit de rencontrer les parents d'élèves sur le terrain du conseil d'administration, et très mal à l'aise quand il s'agit de les rencontrer sur le terrain de la pédagogie. C'est une histoire de fou : ils se plaignent, eux, d'insuffisances pédagogiques, à moi qui n'ai pas compétence en la matière. Quand ils protestent : « Tel professeur répète toujours le même cours », si je leur réponds : « Mais moi, ce n'est pas mon boulot de m'en occuper, ce n'est pas mon problème, je ne puis que transmettre à l'inspecteur ! », je ne saurais être prise au sérieux et jugée digne de diriger l'établissement scolaire. Normalement, je ne peux pas même rendre visite au professeur dans sa classe et suis censée ne constater les problèmes de discipline que par les cris audibles du couloir. C'est grotesque et intenable.

Vous demandez donc expressément une extension des compétences du chef d'établissement ?

Absolument.

Vous savez combien les enseignants à la fois réclament un encadrement et redoutent la moindre tutelle. Comment imaginez-vous l'intervention pédagogique du chef d'établissement ?

En tout cas, comme le droit pour lui d'exiger d'entendre les trois parties. Qu'il ait le droit de demander des comptes précis aux enseignants en matière de service accompli, de programme traité. Qu'il ait encore le droit de visite dans les classes (il l'avait autrefois). Il ne s'agit évidemment pas de se transformer en inquisiteur, de guetter les enseignants, de multiplier les visites surprises. Il s'agit de répondre de ce qui se passe dans la maison. Je souhaiterais qu'au vu d'un rapport du chef d'établissement l'inspecteur d'académie agisse réellement, et sans délai, sinon par une sanction financière, du moins par un blâme, une menace : on ne les utilise pas, les sanctions prévues, ou après passage devant des commissions administratives paritaires qui leur retirent toute portée. S'il est établi qu'un professeur n'accomplit pas sa tâche correctement, il me paraît normal que ce professeur soit mis à l'épreuve, sous la houlette d'un conseiller pédagogique dédommagé pour venir voir ce qui se passe dans la classe. Et qu'ainsi, on démêle l'écheveau des problèmes pédagogiques, qu'on invente des structures d'aide. Je pense, par exemple, que le conseiller pédagogique, s'il était choisi judicieusement, pourrait apporter un secours dans les meilleurs cas, une expertise dans les pires — attestant que les plaintes des élèves ou des parents sont effectivement fondées. Enfin, je voudrais disposer d'issues alternatives. Pourquoi les gens qui ont travaillé en documentation, en bibliothèque, sont-ils susceptibles de devenir professeurs, et jamais l'inverse ? Pourquoi un maître complètement défaillant ne serait-il pas chargé d'écritures, le temps d'envisager une reconversion ?

Encore conviendrait-il que les chefs d'établissement ne se comportent ni en petits chefs maniaques ni en zombies effrayés par leurs administrés.

Il s'en trouve sûrement un bon nombre qui répondent à cette description, et je ne crois pas que le mode de recrutement actuel remédie à la chose. Leur isolement pèse lourd dans cette affaire. J'avais beaucoup espéré ce qu'Antoine Prost [3] appelait les « bassins de formation », c'est-à-dire des regroupements d'établissements correspondant à une unité économique, à un environnement. Ces établissements s'entraideraient pour offrir, de manière concertée, un ample éventail de filières : ils accueilleraient ensemble une cohorte d'élèves, les répartissant au fil de la scolarité selon les talents de chaque enfant et la spécialité de chaque école. Le tout

3. Auteur d'un rapport sur les lycées où la constitution de « bassins de formation » était préconisée.

serait coordonné par un « pool » de directeurs, sorte d'état-major. Je songeais qu'une telle démarche inaugurerait un travail collectif, une mise en commun des qualités respectives. Les uns assurent à merveille la formation continue et savent démarcher auprès des entreprises, les autres sont plutôt des animateurs pédagogiques, d'autres encore possèdent un sens de la communication dont bénéficieraient les parents. Gestionnaires et pédagogues s'épauleraient mutuellement, mais les bassins de formation sont restés dans un placard, la solitude prévaut et la hiérarchie est fort lointaine...

> *Vous voulez dire qu'au niveau de l'inspection académique ou du ministère il n'y a pas d'abonné au numéro que vous demandez ?*

Il n'y en a pas, en effet. Ou alors, les interlocuteurs passent : quand ils commencent à bien connaître le terrain, ils s'en vont.

> *Vous semblez prendre de grandes libertés avec la sectorisation, puisque vous déclarez accueillir avec joie les postulants recommandés par d'anciens élèves, qu'ils habitent ou non dans le VIe arrondissement. Jusqu'à quel point êtes-vous favorable à une désectorisation et au jeu de la concurrence ?*

La question ne se pose pas en ces termes dans les classes préparatoires, où le flou des textes et les habitudes ancestrales du quartier Latin m'amènent à un individualisme presque aussi vif que celui des professeurs. Si je veux sauver

Fénelon, il faut que je fasse ma cuisine. Je ne m'en prive pas. Je conçois mon propre système de pré-inscription, de marketing, je m'assure une clientèle stable par telle ou telle méthode, et j'ai maintenant des fournisseurs attitrés — et tout particulièrement les professeurs de la maison. Chaque professeur se fait un devoir d'amener, par année scolaire, environ une quinzaine d'élèves, toutes classes confondues.

Dans les sections préparatoires, cela ne se pose pas en termes de sectorisation, mais d'originalité, de bricolage. On essaie d'observer comment on est perçu, et de tirer le meilleur parti de ce regard extérieur. On creuse son sillon, on accentue sa marque, on dit : « Voyez, je ne vous ai pas trompé sur la marchandise, je vous promettais telle chose, voilà ce que je vous ai donné ! »

S'agissant du secondaire, classes de première et terminale, quand il y a de la place à Fénelon, je prends les gens qui souhaitent venir si leur proviseur est d'accord pour les laisser partir. Je ne vole pas mes collègues, même s'il m'arrive de négocier avec eux.

La désectorisation, il faut bien que les parents sachent que c'est un piège pour eux. On leur dit : vous pouvez tout demander. On oublie de leur dire : vous ne pouvez pas tout avoir. Cela augmente le pouvoir du chef d'établissement, donc j'y suis relativement favorable. Mais attention aux dérapages ! Pour ma part, je fabrique en seconde un cocktail subtil. Je recrute hors de mes terres, c'est vrai, puisqu'on en a le droit. Mais je me fais un devoir d'accueillir ceux qui n'habitent pas très loin, ou de veiller à ce qu'ils soient accueillis. A ce stade, il existe un groupe de collègues avec lesquels je travaille bien : celui de Victor-Duruy, celui de Montaigne, celui de Lavoisier.

Ma règle est qu'il faut créer un lien, argumenter, pour venir à Fénelon. C'est cela, la désectorisation : c'est un supplément de pouvoir octroyé au chef d'établissement. Dès lors que des parents convenablement informés sont capables d'expliquer pourquoi ils désirent inscrire leur rejeton chez moi, mon shaker commence à s'agiter. Cette année 1988, je prépare un bon cocktail qui promet d'être explosif. J'ai 160 places pour quatre divisions. Cela donne, dans chacune, 5 places hors secteur, 3 places pour ceux qui déménageront pendant l'été, 4 places pour « la cave de madame le proviseur », c'est-à-dire pour les clandestins embarqués en catastrophe, 4 places pour les pistonnés et autres recommandés, 4 places pour les redoublants — il n'en reste plus beaucoup pour les autres. Je me prends 4 petits d'Alphonse-Daudet, 4 petits de Georges-Braque, etc. Cela donnera 400 frustrés au moins, ceux qui n'ont pas su qu'il fallait se mettre sur les rangs.

Il y a les malins qui certifient : « Je suis complètement d'accord avec votre projet d'établissement, j'adhère à toutes vos visions éducatives, donc je veux entrer. » Il y a les flatteurs : « Je vous ai lue dans tel journal, n'est-ce pas trop présomptueux de vous présenter mon fils : il me paraît correspondre à vos vues éducatives ? » Là, forcément, je prendrai. Mais cela signifie qu'il faut être branché, expert, pour ne pas louper le coche. La désectorisation, j'y insiste, c'est très bien, à condition qu'on ne se voile pas la face. Ce n'est pas une liberté plus grande pour les familles, c'est une responsabilité et une liberté plus grandes pour le chef d'établissement.

L'esprit d'entreprise est devenu une valeur cardinale. Je voudrais vous demander si vous êtes tou-

chée par cette grâce, et si vous vous sentez, à Fénelon, entrepreneur ?

Mais non. D'abord, je n'entre guère dans ces métaphores-là. Moi, je me sens chef de gare, pas d'entreprise. Et puis, cela ne tient pas debout. On a valorisé l'entreprise, très bien, mais les choses ne sont nullement égales par ailleurs. Soyons sérieux : les rapports d'argent nous sont étrangers. Nous, les éducateurs, sommes payés pour écouter des types qui ne nous paient pas pour se faire entendre ; et les parents d'élèves viennent nous voir gratis... Nous ne sommes pas des chefs d'entreprise dans la mesure où nous n'embauchons pas. Vous imaginez une PME où l'on vous imposerait d'office un intendant et un censeur ? On n'embauche pas, on débauche encore moins, on n'est pas du tout intéressé, au sens financier du terme, à la production — c'est-à-dire que lorsqu'on a 30 % de reçus au baccalauréat, on n'est ni mieux ni moins bien payé que quand on en a 90. Où serait d'ailleurs le produit ? Le produit, c'est l'élève bachelier ? De quelle chaîne sortirait-il ? Je vous disais que je voulais bien être un artisan de luxe ou fabriquer du prêt-à-porter, mais je ne vends pas mon style, il ne me rapporte pas, je le propose aux élèves, ils en font ce qu'ils entendent, ils retaillent dedans un costume de clown s'ils le désirent.

En revanche, que l'esprit de l'entreprise pénètre les établissements scolaires au point qu'ils se préoccupent du prix de la gestion, de la recherche de ressources propres, j'y suis très favorable. Mais il s'agit de gestion, non de la vie scolaire ni de la vie pédagogique...

Table

IMPRIMERIE BUSSIÈRE À SAINT-AMAND (2-91)
DÉPÔT LÉGAL JANVIER 1991. N° 10897-2 (496)

Collection Points

SÉRIE ACTUELS

DERNIERS TITRES PARUS

A49. Un voyage en Océanie, *par Jean-Claude Guillebaud*
A50. Au coin de la rue, l'aventure
par Pascal Bruckner et Alain Finkielkraut
A51. John Reed, *par Robert Rosenstone*
A52. Le Tabouret de Piotr, *par Jean Kéhayan*
A53. Le temps qui tue, le temps qui guérit
par le Dr Fernand Attali
A54. La Lumière médicale, *par Norbert Bensaïd*
A55. Californie (Le Nouvel Age)
par Sylvie Crossman et Édouard Fenwick
A56. La Politique du mâle, *par Kate Millett*
A57. Contraception, Grossesse, IVG
par Pierrette Bello, Catherine Dolto et Aline Schiffmann
A58. Marthe, *anonyme*
A59. Pour un nouveau-né sans risque
par Alexandre Minkowski
A60. La vie tu parles, *par Libération*
A61. Les Bons Vins et les Autres, *par Pierre-Marie Doutrelant*
A62. Comment peut-on être breton ?, *par Morvan Lebesque*
A63. Les Français, *par Theodore Zeldin*
A64. La Naissance d'une famille, *par T. Berry Brazelton*
A65. Hospitalité française, *par Tahar Ben Jelloun*
A66. L'Enfant à tout prix
par Geneviève Delaisi de Parseval et Alain Janaud
A67. La Rouge Différence, *par F. Edmonde Morin*
A68. Regard sur les Françaises, *par Michèle Sarde*
A69. A hurler le soir au fond des collèges, *par Claude Duneton*
avec la collaboration de Frédéric Pagès
A70. L'Avenir en face, *par Alain Minc*
A71. Je t'aime d'amitié, *par la revue « Autrement »*
A72. Couples, *par la revue « Autrement »*
A73. Le Sanglot de l'homme blanc, *par Pascal Bruckner*
A74. BCBG, le guide du bon chic bon genre
par Thierry Mantoux
A75. Ils partiront dans l'ivresse, *par Lucie Aubrac*

A76. Tant qu'il y aura des profs
par Hervé Hamon et Patrick Rotman
A77. Femmes à 50 ans, *par Michèle Thiriet et Suzanne Képès*
A78. Sky my Husband ! Ciel mon mari !
par Jean-Loup Chifflet
A79. Tous ensemble, *par François de Closets*
A80. Les Instits. Enquête sur l'école primaire
par Nicole Gauthier, Catherine Guiguon et Maurice A. Guillot
A81. Objectif bébé. Une nouvelle science, la bébologie
par la revue « Autrement »
A82. Nous l'avons tant aimée, la révolution
par Dany Cohn-Bendit
A83. Enfances, *par Françoise Dolto*
A84. Orient extrême, *par Robert Guillain*
A85. Aventurières en crinoline, *par Christel Mouchard*
A86. A la soupe!, *par Plantu*
A87. Kilos de plume, kilos de plomb
par Jean-Louis Yaïch et Dr Gérard Apfeldorfer
A88. Grands Reportages, *collectif*
A89. François Mitterrand ou la tentation de l'histoire
par Franz-Olivier Giesbert
A90. Génération 1. Les Années de rêve
par Hervé Hamon et Patrick Rotman
A91. Génération 2. Les Années de poudre
par Hervé Hamon et Patrick Rotman
A92. Rumeurs, *par Jean-Noël Kapferer*
A93. Éloge des pédagogues, *par Antoine Prost*
A94. Heureux Habitants de l'Aveyron, *par Philippe Meyer*
A95. Milena, *par Margarete Buber-Neumann*
A96. Plutôt russe que mort !, *par Cabu et Claude-Marie Vadrot*
A97. Une saison chez Lacan, *par Pierre Rey*
A98. Le niveau monte, *par Christian Baudelot et Roger Establet*
A99. Les Banlieues de l'Islam, *par Gilles Kepel*
A100. Madame le Proviseur, *par Marguerite Genzbittel*
A101. Naître coupable, naître victime, *par Peter Sichrovsky*
A102. Fractures d'une vie, *par Charlie Bauer*
A103. Ça n'est pas pour me vanter..., *par Philippe Meyer*
A104. Enquête sur l'auteur, *par Jean Lacouture*
A105. Sky my wife ! Ciel ma femme !
par Jean-Loup Chiflet
A106. La Drogue dans le monde
par Christian Bachmann et Anne Coppel